Comida de Rua

O MELHOR DA
BAIXA GASTRONOMIA
PAULISTANA

Bianca Paulino Chaer

Comida de Rua

O MELHOR DA BAIXA GASTRONOMIA PAULISTANA

EDITORA
ALAÚDE

O texto deste livro foi fixado conforme o acordo ortográfico vigente no Brasil desde 1º de janeiro de 2009.

Edição: Bia Nunes de Sousa
Revisão: Mariana Zanini e Claudia Vilas Gomes
Capa e projeto gráfico: Rodrigo Frazão
Fotografias: Renato Leite Ribeiro (exceto páginas 33 e 69, divulgação)
Imagem de capa: Renato Leite Ribeiro
Impressão e acabamento: Cromosete Gráfica e Editora

1ª edição, 2015
Impresso no Brasil

Dados Internacionais de Catalogação na Publicação (CIP)
(Câmara Brasileira do Livro, SP, Brasil)

Chaer, Bianca Paulino
Comida de rua: o melhor da baixa gastronomia paulistana / Bianca Chaer; [fotografias de Renato Leite Ribeiro]. – 1. ed. – São Paulo: Alaúde Editorial, 2015.

ISBN 978-85-7881-275-1

1. Culinária - São Paulo 2. Culinária - São Paulo - História 3. Gastronomia 4. Gastronomia brasileira - História I. Ribeiro, Renato Leite. II. Título.

15-00698 CDD-641.598161

Índices para catálogo sistemático:
1. Comida de rua : Culinária paulista 641.598161

2015
Alaúde Editorial Ltda.
Rua Hildebrando Thomaz de Carvalho, 60
São Paulo, SP, 04012-120
Tel.: (11) 5572-9474
www.alaude.com.br

Sumário

Descobrindo a cidade,

Uma das minhas receitas preferidas é de um apple crispy que minha mãe me ensinou quando eu era criança. Simples, leva poucos ingredientes e é delicioso! Lembro até hoje da primeira vez que o fizemos e de como esse doce ficou ainda melhor acompanhado de uma bola de sorvete de creme em uma tarde chuvosa de outono. Molly O'Neill, colunista gastronômica da *New York Times Sunday Magazine*, uma vez disse que um bom pedaço de torta de maçã "não envolve apenas a qualidade das maçãs ou a massa ficar crocante ou não, mas o conflito de tensões: leve e firme, doce e azedo, salgado e amanteigado". Ainda segundo ela, do mesmo modo, um artigo ou um livro sobre comida nunca é apenas sobre a comida. Trata, entre outras coisas, da cultura de um lugar, de um tempo, de uma época. Fala de busca e de desejo, de lembranças e memórias guardadas, da nossa própria casa e do mundo todo.

uma mordida por vez

É exatamente disso que trata este livro: a essência, os sabores e as memórias gastronômicas das ruas da cidade. Não falarei apenas da história de cada prato, mas também da vida de seus cozinheiros, da origem de suas receitas, do sentimento e da experiência que moram em cada quitute que a gente, sem saber de nada disso, devora em dois instantes.

Nunca consegui entender por que razão em São Paulo, cidade considerada uma das capitais mundiais da gastronomia pela multiplicidade de suas cozinhas, a comida de rua parecia se dividir entre o pastel oleoso da feira e o cachorro-quente feito com "salsicha de água suja".

Foi pensando nisso que, no final de 2012, minha resolução de ano-novo foi conhecer um pouco melhor este lado gastronômico da cidade, o da baixa gastronomia. Queria saber se a comida de rua em São Paulo era mesmo inexistente ou se ela estava só escondida, esperando dias melhores. Queria encontrar pratos que me deixassem extasiada e que me fizessem propagandear aos amigos: "Nossa, vocês PRE-CI-SAM provar isso!" E assim nasceu este guia, com parte do que experimentei durante mais de um ano comendo em pé, sujando a roupa e falando "Que delícia!" de boca cheia.

O livro que você tem em mãos não tem qualquer pretensão de ser um tratado sobre a comida de rua paulistana, muito menos um guia definitivo, já que não inclui tudo o que há para comer nas ruas da cidade – tarefa que se torna cada dia mais difícil de realizar. Não pretendo classificar ou escolher os melhores produtos nem dar o aval de que tudo que foi retratado nestas páginas vai agradar aos paladares mais sensíveis e aos estômagos mais delicados. O que fiz foi apenas uma curadoria, uma seleção do que recomendaria aos amigos mais queridos. Todas as indicações feitas neste livro foram escolhas próprias. Realizei ao menos uma visita anônima, para avaliar a comida. Incluí doces e salgados que comi até dizer chega.

O que posso lhe assegurar é que sobrevivi. E que descobri lugares incríveis onde é possível fazer uma refeição completa por menos de 15 reais e ainda sair lambendo os beiços.

Descobri estrangeiros que trocaram a pátria pela Pauliceia desvairada, senhoras e senhores que vivem de servir doces e distribuir simpatia, pessoas que acreditam na importância da comida de rua para a cultura de uma cidade e que, muitas vezes sem saber, contribuem para que ela seja cada vez mais rica.

Trate, então, de usar este guia com o propósito da descoberta (ou de redescoberta, por que não?). Faça o desafio de provar de todas as barracas em um mês – ou em um ano –, mas prove. Crie suas próprias impressões sobre a nossa comida de rua.

Use o livro para ocupar a cidade, ser um turista no próprio bairro. Saia de sua zona de conforto: coma em pé, sem talheres. Conheça lugares inusitados e novas fontes de inspiração: cheiros, gostos, rostos. Leve seus amigos, seus filhos, todo mundo. Delicie-se.

Descubra o gosto de um bom churrasco argentino, os ingredientes da culinária de seu próprio país, o poder curador de ressacas de um pastel com caldo de cana, o prazer de comer cannoli no intervalo de um jogo de futebol. Converse com as pessoas, experimente tudo! Não tenha medo.

E divirta-se. Afinal, é isso que importa.

Comendo cultura

Um senhor que vende pipoca na porta do teatro. Uma barraquinha de pastel na feira perto de casa. A moça do café com bolo na saída do metrô e o rapaz do milho cozido na praia. O pernil de porta de estádio, a criança que vende amendoim torrado no farol e a kombi do cachorro-quente prensadinho na saída das casas noturnas. Tudo isso é comida de rua – uma modalidade de alimentação fora de casa que inclui o restaurante chique que você vai para comemorar o aniversário, o bufê por quilo do dia a dia e o piquenique no parque aos fins de semana.

Considerando todas essas variações, a comida de rua é a principal fonte de alimentação da maioria das pessoas no mundo inteiro. Segundo os historiadores Colleen Taylor Sen e Bruce Kraig, ambos especialistas em alimentação e autores do livro *Street Food around the World: An Encyclopedia of Food and Culture*, cerca de

pelas ruas da cidade

2,5 bilhões de pessoas comem nas ruas diariamente e fazem dessas refeições sua maior fonte de calorias.

Um modo simples de definir a comida de rua é considerá-la como todo alimento produzido por alguém e vendido ao ar livre, geralmente para consumo imediato. Mas a verdade é que ela é mais do que isso: é a comida conveniente para quem está com pressa, mas às vezes faz tanto sucesso que gera longas filas; é a opção barata para quem quer pagar pouco ou a refinada, que custa mais caro para bancar os ingredientes. É o quitute apetitoso, como um acarajé frito no azeite de dendê, mas também pode ser algo saudável, e nem por isso menos delicioso, como a água tomada direto do coco na beira da praia. É a comida que está no meio do caminho, mas também pode ser o destino do passeio. Qual é a sua preferida?

Comida de rua ao redor do mundo

No mundo todo, é uma fonte de renda para muita gente. Vendedor de comida de rua é uma das profissões mais populares em países em desenvolvimento, e estudos apontam que, em grandes metrópoles, esses trabalhadores já representam 2% da população. Em cidades mais desenvolvidas, a comida de rua também se apresenta como uma alternativa aos altos custos para iniciar um novo negócio, incentivando portanto o empreendedorismo.

Além de tudo isso, a comida de rua tem um importante papel na vida cultural de uma cidade. Ao redor de barracas, banquinhas e food trucks, as pessoas se reúnem e convivem com seus pares e seus opostos. A comida de rua instiga e provoca curiosidade. Visitantes e turistas reconhecem o ato de comer na rua como parte relevante de sua experiência longe de casa.

Os pratos simples vendidos na calçada e consumidos de pé pelos turistas refletem a época da colonização e também os costumes trazidos pelos povos imigrantes, suas receitas tradicionais, seus ingredientes típicos, seus hábitos culturais ou mesmo religiosos de consumir ou não certos alimentos. Naquele prato específico, está presente uma combinação de fatores que pode resumir, em uma única mordida, anos de vida em sociedade.

A comida de rua é muito mais do que simplesmente comida; não há dúvidas de que ela tem muito da personalidade de seu país de origem e é, assim como a gastronomia em geral, um verdadeiro tratado sobre a sociedade e as relações sociais.

Mas o que é comida de rua?

Não há uma resposta única para essa questão. Em geral, o ponto comum entre os diversos tipos de comida de rua é que são feitos ao ar livre – entretanto, aqui mesmo neste livro temos exemplos de alimentos que são preparados em outros lugares (em casa mesmo ou em cozinhas de apoio), e que são apenas finalizados (ou somente vendidos) nas ruas.

Quanto às técnicas de preparo, variam tanto quanto o ambiente permitir e a imaginação dos vendedores ousar. Hoje, com os food trucks, por exemplo, é possível levar para as ruas praticamente qualquer equipamento de uma cozinha tradicional, tanto para preparar alimentos quanto para mantê-los refrigerados.

Os alimentos podem ser crus (o que exige um cuidado especial com sua conservação), fritos (o tipo de comida de rua mais popular no mundo todo), grelhados ao ar livre, como os churrasquinhos, preparados em forno fechado, em água fervente ou até mesmo no vapor.

Os pratos servidos vão dos simples, de um ingrediente apenas, aos compostos por vários itens, como os sanduíches. Um método comum de preparo de comida de rua é em forma de wrap, em que os ingredientes são envolvidos por um pão de massa fina. Muitas vezes, em vez de comida, os vendedores podem ser especializados em bebida – preparada na hora, como um café ou um suco, ou bebidas industrializadas e que passaram por longo processo de fabricação, como uma cerveja ou um vinho.

Onde e como ela é vendida?

Caminhões, trailers ou carros de passeio são os veículos motorizados mais comuns, mas a comida de rua também é vendida em barraquinhas desmontáveis, quiosques, tabuleiros ou uma simples bandeja amarrada ao pescoço ou carregada acima da cabeça. Aqui, mais uma vez, o que manda é a criatividade – e o limite de investimento financeiro.

Sendo a comida de rua uma forma de alimentação fora de casa, mais especificamente ao ar livre, o local também pode variar de acordo com a legislação vigente em cada país. Em muitos deles, a comida só pode ser vendida em pontos fixos. Em outros, os vendedores têm autorização para rodar por pontos ou zonas determinadas.

As entidades responsáveis por regular a comida de rua também variam. Em muitos locais, vender alimentos na rua é ilegal. Em outros, não há qualquer legislação a respeito – o que torna a profissão muito irregular e arriscada. Em boa parte dos países que possuem regras para o comércio de alimentos, a maior preocupação é com a saúde dos consumidores e a qualidade dos alimentos – todo mundo sabe que há questões políticas envolvidas, seja com donos de restaurantes e outros comércios formais, seja com empresas imobiliárias e de outros setores cujos interesses podem conflitar com esse tipo de comércio e o público que ele atrai.

A comida de rua em São Paulo

Na cidade, a comida de rua é mais antiga do que pode parecer; surgiu muito antes da moda dos food trucks, antes mesmo das feiras mais tradicionais, como a da Liberdade e a da praça Benedito Calixto. Antes, até, do que a primeira feira livre da cidade.

O historiador e professor de gastronomia do Senac João Luiz Máximo defende em sua tese de doutorado "Alimentação de rua na cidade de São Paulo (1828-1900)" que o marco zero da comida de rua na cidade foi o ano de 1828, por conta da fundação da Faculdade de Direito do Largo São Francisco. A partir desse momento, mais pessoas foram atraídas para a cidade, e o comércio informal de alimentos começou a crescer.

A maior parte das pessoas que comercializava comida na rua eram quitandeiras, mulheres pobres, escravas ou libertas, que vendiam o que estava disponível de maneira fácil: formiga içá torrada, pinhão, empada, bolinhos feitos com massa de milho e recheados com peixes do rio Tamanduateí. Anos depois, em 1914, foi criada a primeira feira livre da cidade, em um ato oficial que na verdade apenas reconheceu uma prática já existente.

Naquela época a comida de rua era bastante discriminada. Era comida de gente pobre ou de pessoas que estavam em trânsito. Com o desenvolvimento do centro urbano da cidade, ela foi sendo marginalizada – e assim permaneceu até recentemente.

Nos dias de hoje

Até 2013, a comida de rua em São Paulo era regulamentada pela lei municipal nº 12.736, de 16 de setembro de 1998, que só permitia a comercialização de alimentos na rua por "dogueiros motorizados". Os vendedores de outros tipos de comida podiam tentar, isoladamente, licenças para funcionar em feiras livres ou de cultura e artesanato, mas a burocracia era tanta que o processo poderia durar meses. Licença para ser vendida na rua, de fato, a comida não tinha.

Em dezembro de 2013, foi promulgada a lei nº 15.947, que estabelece a venda de alimentos na rua por qualquer pessoa, desde que tenha o termo de permissão de uso (TPU), emitido pela subprefeitura responsável pelo ponto, e o aval da Coordenação de Vigilância em Saúde (Covisa). No caso de veículos motorizados, é necessária também uma autorização da Companhia de Engenharia de Tráfego (CET).

A nova lei reconhece três tipos de comércio de alimento nas ruas: os veículos motorizados; os tabuleiros e veículos não motorizados, que incluem carrinhos puxados por tração humana; e as barraquinhas desmontáveis. Cada um deles tem seu espaço nas ruas garantido por lei – ainda que esse espaço não seja definido pelos comerciantes, e sim pelas subprefeituras.

A regulamentação é nova e já causou polêmica entre as pessoas do ramo. Todos ainda estão se adaptando às novas regras, e é cedo para tirarmos conclusões, mas a verdade é que o primeiro passo foi dado – e era esse o incentivo de que muitos precisavam para colocar os pés (ou as rodas) na rua.

A hora e a vez dos food trucks

Embora os dogueiros motorizados já existissem e fossem reconhecidos pela lei havia um bom tempo, foi só recentemente que os carros receberam adesivos coloridos, ficaram mais bonitos e estilosos e passaram a oferecer uma gama mais bacana de pratos.

Um dos precursores do movimento de valorização da comida de rua é Rolando Vanucci, dono de uma chamativa kombi com bolinhas coloridas que vende massas. Na rua desde 2007, ele já serviu de mentor para algumas pessoas da nova leva de empreendedores do ramo e atualmente é presidente da Associação de Comida de Rua de São Paulo, que reúne carros que oferecem os mais variados tipos de alimento. Uma rápida olhada entre os membros da associação nos mostra que as kombis, antes usadas apenas para vender cachorro-quente, agora comercializam pizzas, milk-shakes, cafés, sanduíches e até mesmo comida asiática. O próprio Rolando, por exemplo, expandiu os negócios e agregou churros e pizza à sua marca.

Junto com as novas kombis surgiram pequenos trailers, caminhões, contêineres, triciclos e bicicletas, e o lançamento de novos veículos e novos modelos de negócio acontece com cada vez mais frequência. Para quem tem criatividade, as opções são praticamente infinitas. O que importa é que a cidade é grande, as ruas são muitas e tem lugar pra todo mundo.

Pequeno manual

Identifique a fila. Descubra onde ela começa e termina e não confunda o local de pedir, o de pagar e o de retirar, que algumas vezes não são os mesmos.

Escolha o que quer pedir. Em alguns lugares as opções são muitas, então não espere chegar sua vez para decidir o que vai querer.

Facilite o troco. Alguns lugares hoje em dia aceitam cartão, mas nos lugares mais tradicionais pode ser difícil comer se você não tiver dinheiro vivo. Ah, é bom lembrar que nas barracas menores dificilmente haverá troco para notas muito altas.

Limpe a mesa depois de comer. Mais do que dica de etiqueta, é uma falta de consideração fazer o contrário. Jogue o lixo no lixo! Regra básica da vida em sociedade.

Tenha espírito de aventura e lembre-se sempre: você não está num restaurante. Nada de ficar reclamando da fila, do clima, da vida...

de etiqueta

Não atrapalhe o fluxo. Depois de pedir, vá para a fila de retirada e, depois de pegar seu pedido, não fique empacando o movimento de quem ainda não pediu ou está esperando.

Não fure a fila! Não preciso dizer mais nada sobre isso, certo? Nem adianta se fazer de desentendido. Todo mundo sabe quando alguém está tentando cortar caminho – e isso é absolutamente desagradável.

Não dificulte o pedido. Os componentes de cada prato foram cuidadosamente pensados e muitas vezes estão porcionados. Não peça para fazerem mudanças, mas em último caso vale a regra: é bem mais fácil tirar do que acrescentar ingredientes.

Não guarde lugar. Se houver mesa, sente-se apenas quando já tiver seu pedido em mãos e, depois de comer, seja solidário e vá bater papo em outro lugar.
Não deixe para depois. Aquele docinho delícia que você queria provar pode ter acabado e aí não adianta reclamar, o estoque é limitado mesmo. Sem contar que pode cair o maior pé d'água ou o vendedor pode simplesmente não estar mais lá quando você voltar.
Não leve seu animalzinho. Ele é lindo, eu sei, mas, além de não ser todo mundo que trata um cão como um filho, em alguns lugares a entrada dele pode ser proibida, e não queremos que ele fique sozinho, amarrado do lado de fora, né?

E por fim...

Não julgue um livro pela capa, já dizia o ditado – nem um prato pela cara! A comida de rua pode nem sempre ser a mais bonita, mas leve esta dica a sério e você pode se surpreender com o que vai encontrar. Muitos dos lugares que indico aqui foram descobertos assim!

câmbio rápido
2
FESTIVAL DE
MUSICA
POESIA
DE LOS MIGRANTES
BIEN VIVIR

Guia de

Nem todo mundo tem um estômago forte como o meu – reconheço. Tem muita gente que diz que "tem medo". De que, não sei, mas para ajudar montei um manual de sobrevivência com dicas úteis na hora de escolher um prato dos chefs de asfalto. Preste atenção e você não deve ter problemas!

Coma com os olhos

Se há algo que só a comida de rua pode proporcionar é a certeza daquilo que você está comprando. Tudo acontece bem na sua frente, portanto, procure observar o armazenamento e preparo dos alimentos, se há cuidado e higiene. Não é porque é de rua que tem que ser insalubre.

sobrevivência

Fique na fila

Uma longa fila em uma barraca pode ser um bom indicativo de que a comida é saborosa, bem preparada ou, no mínimo, segura. A quantidade de pessoas esperando para comer em um certo lugar é quase sempre diretamente proporcional à qualidade do alimento.

Escolha você mesmo

Não aceite comida fria, que está exposta há tempos ou que pareça "passada". Escolha você mesmo o que tem o melhor aspecto e que pareça ser o mais fresco.

Aposte nos condimentos

Alimentos como alho, cebola, gengibre, mostarda, pimenta e limão têm propriedades que evitam bactérias e tornam mais difícil a contaminação.

Repare na conservação

Fique atento: produtos à base de leite, como o iogurte, ou que levam ovo cru em sua composição, como a maionese, se deterioram facilmente e podem provocar intoxicações sérias. Salsichas e carnes no espeto também estragam com facilidade quando mal armazenadas.

Aprecie com moderação

O sujeito pede um sanduíche de pernil completo, um caldo de cana com limão, aproveita para provar um pastel especial e ganha outro pela metade do preço. Aí ele descobre uma porção de fritas com vinagrete e arremata a refeição com uma raspadinha de groselha. Depois diz que está passando mal e não deveria ter comido na rua...

Peça a versão com salada

Opte sempre por verduras e vegetais. Eles possuem enzimas que os mantêm frescos por mais tempo, além de serem boa fonte de fibras e ajudarem na digestão. São sempre melhores quando consumidos crus.

Prefira os pratos quentes

Comidas preparadas na grelha ou fritas em óleo dificilmente fazem mal. A maioria das bactérias não sobrevive em temperaturas acima de 90 °C. Entretanto, é sempre bom ter cuidado – algumas podem ser mais resistentes do que outras e pouco adianta fritar se o óleo for da semana passada.

Use a boca

Pergunte aos moradores do bairro ou até mesmo a outros feirantes sobre a qualidade e procedência dos pratos que quer provar. Ninguém volta duas vezes a um lugar onde passou mal. Pode provar sem medo o que eles aconselharem – e redobre a atenção caso eles lhe digam que não conhecem aquele tio do pastel.

Prove as especialidades locais

As comidas típicas, além de serem a porta de entrada para uma nova cultura, são uma escolha segura, já que seu preparo costuma ter certos padrões tradicionais e não varia muito. Além disso, você sempre terá outras opções para comparar e escolher.

Respeite seu corpo

Se seu estômago é delicado, fuja das comidas mais exóticas, de bebidas fermentadas ou alimentos pesados, preparados com muita fritura ou excesso de óleo. É sempre bom pegar leve nas pimentas também – lembre-se de que você está na rua.

Todo mundo me pergunta, entre tantas indicações, qual é a minha preferida. Confesso que são tantas as opções que fica difícil eleger onde provar a melhor comida de rua de São Paulo. Aqui estão alguns dos meus favoritos, embora eu seja muito fã de tudo que está no livro. A seleção foi puramente subjetiva, pensando não só no sabor, mas também na experiência. Espero que gostem!

Por onde
começar

Bulina Food Truck

A gastronomia está repleta de encontros afortunados, que rendem bons frutos e excelentes pratos. Em meio às minhas pesquisas para este livro, encontrei várias histórias assim e uma delas é a do brasileiro Márcio Silva.

Ele foi chef e proprietário do restaurante Oryza, que fechou em setembro de 2012. Após o fim do empreendimento, Márcio passou uma temporada na Espanha, onde trabalhou no Mugaritz, restaurante que está sempre entre os 10 melhores do mundo na lista da revista britânica *Restaurant*.

Quando voltou ao Brasil, Márcio firmou uma parceria com o americano Jorge Gonzalez, que já tinha trabalhado em cozinhas estreladas no mundo todo, incluindo o brasileiro D.O.M., de Alex Atala. Como o amigo já tinha a experiência de organizar jantares pop-up em lugares inusitados, a dupla montou uma espécie de

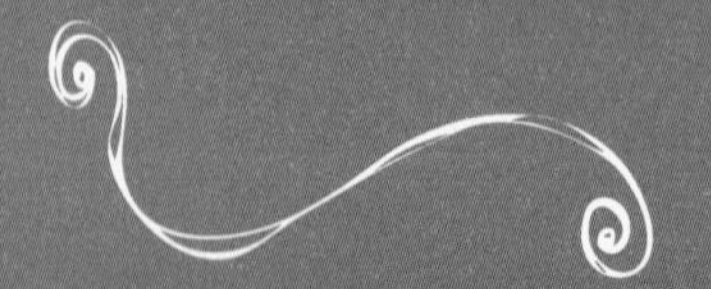
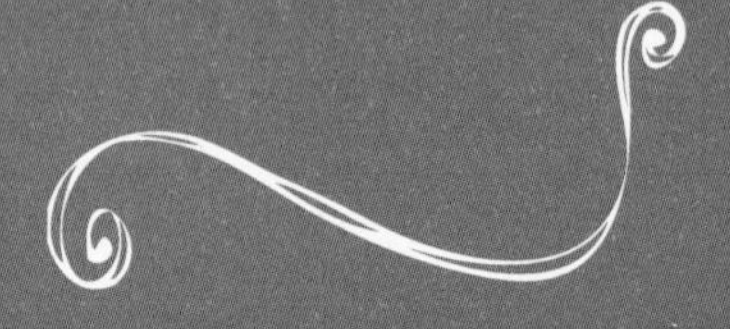

Buzina Burger, uma das muitas opções que vão fazer você voltar pedindo mais

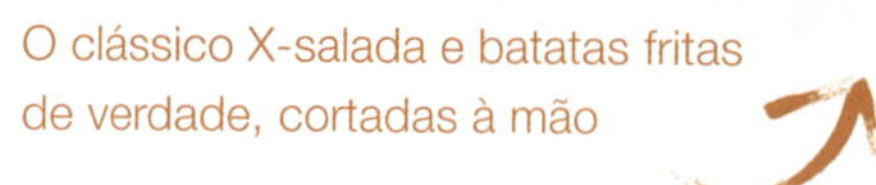
O clássico X-salada e batatas fritas de verdade, cortadas à mão

catering. "A gente fazia café da manhã, churrasco, até bar mitzvá se precisasse, mas não era a nossa praia", conta Márcio.

Os dois amigos viviam se perguntando como poderiam viver de cozinhar, mas com liberdade, com criatividade e, principalmente, com independência e qualidade de vida. Desse questionamento, nasceu o Buzina Food Truck. Em janeiro de 2013, a dupla deu início ao projeto e em dezembro ele já estava rodando.

"A pesquisa para montar o truck foi extensa, mas deliciosa. A gente basicamente comeu e viajou", conta Jorge. Ele e Márcio embarcaram para os Estados Unidos e lá conheceram trucks e fábricas, como clientes e como interessados: as vantagens, os perrengues, os cuidados, as dificuldades, como tudo era feito. O que mais chamou a atenção da dupla, porém, foi não ter visto nada repetido. Cada lugar tinha um diferencial: o truck, a comida, o atendimento.

De volta ao Brasil, havia algumas decisões difíceis a serem tomadas, como a escolha do cardápio e do veículo. Inicialmente, o Buzina nem venderia hambúrguer. "A cozinha ia ser baseada nas nossas experiências em restaurantes, pratos da alta gastronomia em versão de rua", contam. E o que mudou? "É que a gente ama hambúrguer." Como a ideia era ser fiel ao modelo americano de comida de rua, a paixão pelo sanduíche só veio reforçar a vontade de apostar em hambúrgueres caprichados.

A salada de abóbora (à esq.) já é famosa. O arroz de porco (à dir.) com ovo perfeito só entra no cardápio de vez em quando, tem que dar sorte para provar

Chapa ou grelha? Outra discussão intensa. "Isso foi até o último segundo! Achamos que a grelha dá um sabor defumado maravilhoso, mas a chapa mantém o hambúrguer molhadinho, o que para a gente é mais importante", pondera Márcio. No fim, deu chapa.

O blend de carne que eles usam mistura costela e capa de contrafilé e tem cerca de 20% de gordura. São 150 gramas de carne que entram na composição do lanche, responsável por até 70% das vendas no food truck. Os discos são feitos pela manhã, e cocções mais longas no dia anterior. Os componentes de alguns pratos ficam até 12 horas cozinhando a vácuo e em baixa temperatura, uma técnica conhecida como sous-vide.

A batata é cortada de véspera, lavada em água corrente e deixada em um balde dentro da geladeira durante a noite. Esse processo retira o amido e deixa as fritas mais crocantes. No dia seguinte, a batata é frita uma vez, por alguns minutos, a 160 °C e colocada para resfriar. Na hora do pedido, ela vai para o óleo pela segunda vez e é servida com sal de páprica. "A gente tem uma pessoa que passa o dia cortando batata. É um trampo bem braçal. Mas podemos falar: são batatas de verdade", orgulham-se.

Os hambúrgueres ficam no tamanho ideal para serem devorados com apenas uma mão. O clássico X-salada é incrementado com os melhores ingredientes: queijo cheddar inglês, alface, tomate, cebola roxa e aioli, um tipo de maionese com alho. O molho também aparece no Buzina, lanche que leva pedacinhos de calabresa e fritas no meio. Sim, batatas fritas. A impressão é a de um sanduíche gordo, mas os sabores impressionam. Completa a tríade o Truck burger, com cebola caramelizada e queijo gruyère temperado com páprica.

O principal segredo dos lanches, além do capricho no preparo e na seleção dos ingredientes, são os detalhes, como o pão levemente tostado, para não absorver os sucos da carne e ficar molenga, e o tempo de descanso antes de o hambúrguer ir para o pão. "Quando você tira a carne da chapa, as moléculas estão a milhão! Se a pessoa morde na hora, vai escorrer muito, todo o sabor vai embora", explica Márcio.

Os amigos também preparam pratos imperdíveis, como salada de rúcula com abóbora assada, queijo de cabra e amêndoas ca-

O Buzina foi um dos primeiros trucks feitos no modelo americano a rodar pela cidade ramelizadas, além de frango com curry, servido com cuscuz marroquino, chutney de manga, coentro e amêndoas tostadas. Tudo pensado para ser comido sem faca, apenas com o garfo, "afinal de contas, estamos na rua!"

O cardápio muda de tempos em tempos, de acordo com as compras, os ingredientes da temporada e a vontade dos cozinheiros. Mas os queridinhos sempre retornam. Como, então, abrir espaço para o novo? "Criamos o especial do dia. Apresentamos novos sanduíches, pratos como a rabada, ingredientes como a língua, coisas diferentes como o arroz de pato", contam. Entre as opções mais diferentes está a salada de salmão defumado (por eles!), com rúcula, picles de erva-doce, amêndoas e vinagrete asiático, além do arroz de porco com ovo perfeito, que é de chorar de tão lindo. "Como cozinheiros, há um faniquito para testar coisas novas", resumem. É um verdadeiro playground gastronômico, e Márcio e Jorge adoram ver as pessoas se divertirem. •

Márcio e Jorge viram no truck a oportunidade de conciliar liberdade e independência com o prazer de cozinhar

O quê
Saladas e pratos, além dos original american burgers

Onde e quando
Itinerante; ver facebook.com/buzinafoodtruck

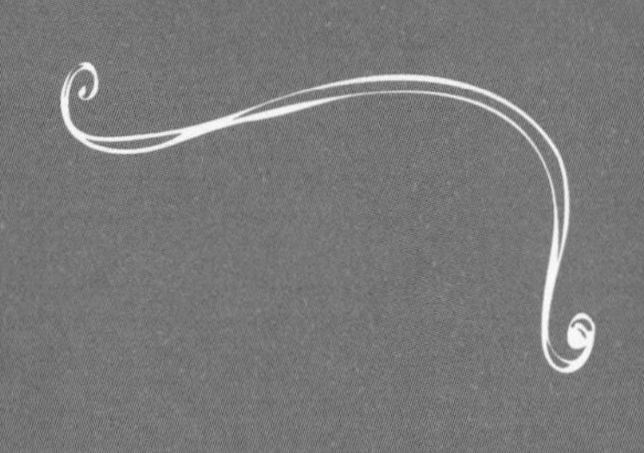

Co.Mo.

Pedro Vilela tinha vontade de empreender; Rafael Coutinho queria abrir um negócio próprio. "A ideia era ter um restaurante ou algo mais simples de operar, mas era tudo muito caro", contam. Buscavam um lugar onde pudessem ter autonomia criativa na cozinha, baixo custo e menos burocracia na operação. Descobriram que, no ramo de food trucks, havia realmente uma vantagem financeira, mas, além disso, perceberam que era possível trazer algo novo, diferente de tudo que já observavam no mercado. Uniram-se então para criar o Co.Mo. – Cozinha Móvel.

A dupla se define como "questionadores, com muito gosto". O food truck é recente, mas vem com a ousada proposta de desafiar o modelo de negócio manjado que se multiplica pelas ruas da cidade. E sua principal arma é a experiência

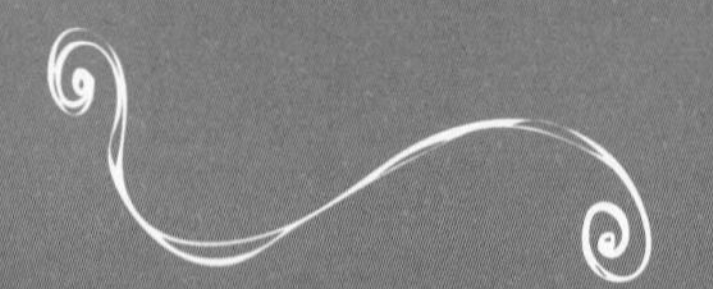

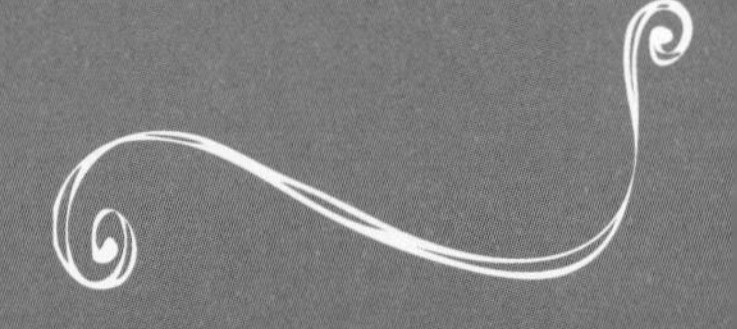

Lula cozida à perfeição: isso também é comida de rua

Semifredo de chocolate com calda de manga e crocante de maracujá. Poderia ser sobremesa em um restaurante, não é?

da dupla em cozinhas de restaurantes renomados.

Foram meses de intenso planejamento financeiro, estudando a lei para avaliar a viabilidade do projeto e entendendo os possíveis entraves para o crescimento da marca. Viajaram até Londres e Nova York para conhecer o que havia por lá e contrataram um especialista em branding para desenvolver a marca e coordenar grupos focais para testar o cardápio. "Modéstia à parte, não vimos nenhum lugar igual ao nosso em termos de planejamento. Foi muito intenso. Temos pessoas focadas e especializadas, estamos começando de um jeito bem diferente da maioria", esclarecem.

Rafael é cozinheiro há cinco anos. Para ele, o problema atual são os altos preços para comer fora de casa em São Paulo, algo com que Pedro também não se conformava. "A indústria remunera mal, não trata bem os funcionários, é uma zona. Não há profissionalismo na gestão", afirma. E de gestão o Pedro entende. Depois de trabalhar por oito anos com consultoria empresarial, hoje ele é o responsável pela operação do truck. Do escritório, comanda com mais duas pessoas tudo o que não é diretamente relacionado à cozinha.

No truck, são cinco funcionários, contando com o Rafael, que chefia a trupe. As tarefas são bem divididas, e o tempo entre encarar a fila, fazer seu pedido, pagar e receber não costuma ser longo. Talvez parte da prática se deva à afinação que a equipe tem, já que todos estão acostumados com cozinhas grandes e movimentadas e já trabalharam juntos antes.

Sobre a linha do cardápio, Rafael conta que suas maiores referências são os lugares onde trabalhou, entre eles os restaurantes do premiado chef Rodrigo Oliveira, Mocotó e Esquina Mocotó, ambos na Vila Medeiros, zona norte da capital. No truck, Rafael desenvolve uma cozinha de influência bem brasileira, apostando em ingredientes locais – eles não usam nada importado –, mas sem se fixar em regionalismos ou especialidades. É uma cozinha livre.

"Adoro comer pizza e hambúrguer, mas não é isso que gosto de cozinhar", diz Rafael. Por isso a ideia do truck é trazer um pouco da experiência de um restaurante para a rua, e os rapazes acreditam que é um dos diferenciais do novo negócio. Mas, acima de tudo, Rafael confessa que prepara o que gosta de cozinhar – e de comer.

Que tal uma saladinha de berinjela assada com purê de erva-doce e vinagrete de ervilhas com limão e hortelã?

Carne também está entre as opções, servida com purê de batatas, cebola assada, cenoura caramelizada e picles de beterraba

O caderninho do moço já tem mais de 20 receitas devidamente testadas e documentadas e logo devem começar a se revezar no truck. Por enquanto, os quatro pratos que aparecem no cardápio são muito saborosos e encantam o público pela sofisticação – na medida exata para a rua.

A salada oferecida é de berinjela assada com mel, servida com purê de erva-doce e vinagrete de ervilhas com limão e hortelã. Outra opção deliciosa e diferente é a lula cozida em sous-vide, técnica de cozimento a vácuo e em baixa temperatura que preserva mais o sabor, e finalizada na frigideira. Ela vem com mandioquinha confitada, alho e tomate assados no forno, brócolis cozidos com farofa de milho, salsinha e picles de cebola roxa. Foi o primeiro prato que provei e logo me conquistou.

Mais clássica, mas não menos saborosa, é a opção de carne com purê de batatas, cenoura temperada com alho, tomilho, cominho e laranja, além de cebolas glaceadas com vinho tinto e picles de beterraba.

Por fim, a sobremesa é um semifredo de chocolate 70% cacau com purê de maracujá, infusão de vodca e zimbro, servido com manga marinada no capim-limão e crocante de sementes de maracujá. É de cair o queixo, eu sei. Uma experiência deliciosa.

Gostou? "Temos muito mais para mostrar", garante Rafael. •

O quê
Comida brasieira com ingredientes nacionais

Onde e quando
Itinerante; ver facebook.com/comotruck

Rafael comanda a brigada no truck; enquanto monta os pratos, explica com prazer os ingredientes

Da Praia

Quando falamos em praia, o que vem à cabeça? Amigos em um momento livre de preocupações e, de quebra, reunidos ao redor de uma mesa com comidinhas gostosas? Foi nessa ideia que Pedro Faria apostou quando batizou o seu truck.

A primeira coisa a que Pedro se dedicou foi o cardápio. Para escolher as receitas, reuniu os amigos e preparou alguns pratos que refletiam o conceito que ele imaginara. Era tudo simples, porque Pedro tinha uma coisa bem clara: queria distanciar-se do gourmet. "Muitas vezes, acho que isso afasta os fregueses. A comida não tem que ser gourmet para agradar, pelo contrário. Pode ser simples, mas precisa ser feita com carinho e dedicação. Aí ela vai sair boa sempre."

Logo nos primeiros testes, ele reparou que os pratos mais bem avaliados entre os seus amigos eram os de frutos do mar. "Me

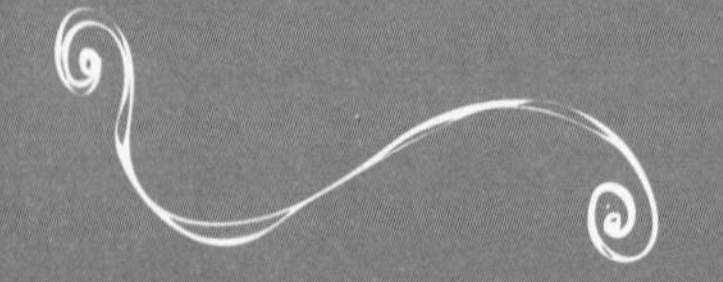

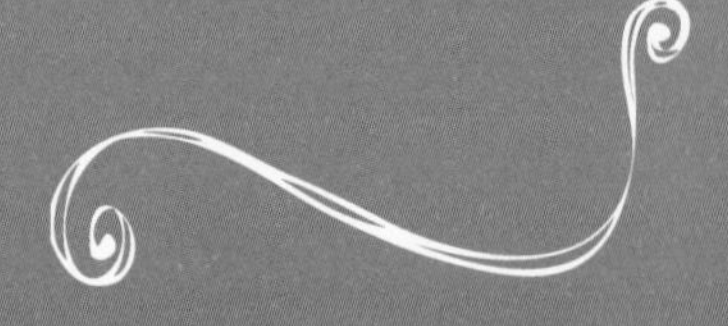

Fresca
e saborosa,
a massa scampi,
com camarões e
limão-siciliano,
é uma das
opções

O NYC Roll, feito com maionese artesanal de camarão no pão de cachorro-quente, é o sanduíche mais pedido pelos clientes

deu um estalo e resolvi montar um cardápio só com esses ingredientes", conta. Inicialmente, o custo e a praticidade foram uma preocupação, mas bastou uma conversa com um conhecido de Santos, no litoral paulista, que fornece frutos do mar para sua família há anos, para entrar em um acordo e bater o martelo de vez.

A família de Pedro é uma mistura de italianos e mineiros, então a comida era farta em casa. Sua mãe é banqueteira, as avós sempre cozinharam, mas Pedro nunca estudou gastronomia de forma tradicional – ele é formado em administração.

Foi só em 2007, enquanto estudava em Nova York, que ele se aproximou de verdade da cozinha. Trabalhava como entregador de pizza e, no dia em que o ajudante de cozinha faltou, Pedro assumiu seu lugar. "Viram que eu levava jeito e o dono começou a me incentivar." Saiu de lá para trabalhar na cozinha de um restaurante mediterrâneo, onde aprendeu com o chef as técnicas que utiliza hoje. Voltou ao Brasil em 2009 com vontade de abrir o próprio restaurante.

Depois de pesquisar o mercado, descobriu o projeto de lei para regularizar a comida de rua em São Paulo e passou a estudar a possibilidade de trabalhar na área. Sua inspiração foi o cenário emergente de Nova York, onde os food trucks estavam ganhando fama e respeito.

Para montar seu restaurante itinerante, Pedro precisaria de um investimento inicial consideravelmente menor do que o de um estabelecimento tradicional, mas, ainda assim, exigiria esforço. "Em vez de me endividar, resolvi mostrar o projeto a alguns amigos. Fiz uma apresentação, mostrei o conceito, expliquei que era uma oportunidade", relembra.

Tão aventureiros quanto ele, seus amigos toparam. O grupo resolveu aproveitar o plano de negócios que já estava pronto

O arroz de frutos do mar é uma receita de família que Pedro reproduz e divide com a gente

para começar o projeto na mesma hora. Em pouco mais de seis meses o caminhão já estava rodando.

Na lousa, estão listados os especiais do dia. Um que não pode faltar é o NYC Roll. Inspirado nos sanduíches de lagosta que Pedro conheceu quando morou em Nova York, este sanduíche de maionese de camarão em pão macio com páprica e erva-doce é uma delícia. O pão quentinho e o recheio bem fresco me ganharam na primeira mordida.

O que no começo parecia ser uma das coisas mais difíceis – criar uma identidade que fosse o diferencial da marca – acabou tomando forma naturalmente: uma culinária preparada por amigos para amigos, em um ambiente bacana, para curtir e comer bem. Pedro, que já tinha noções de como administrar o negócio, contou com a ajuda de uma amiga formada em gastro-

Colorido, o food truck tem mesmo a cara de uma folga do trabalho aproveitada à beira-mar

nomia para escolher os equipamentos e organizar a operação da cozinha; outro amigo, designer, ajudou a fazer a comunicação visual – e assim foi.

Pedro diz que não abandonou a ideia de montar um restaurante. “Ainda tenho vontade, mas agora não quero mais sair da rua.” Ele está pleiteando junto à prefeitura pontos fixos para não ficar apenas em food parks. “O Da praia surgiu com o propósito de ser comida de rua. Não importa onde a gente esteja, queremos que o clima seja de férias”, arremata, com um sorriso que convida a relaxar e pedir mais um cerveja, como se estivéssemos com os pés na areia. •

O quê
Pratos e sanduíches com frutos do mar

Onde e quando
Itinerante; ver facebook.com/dapraiafoodtruck

Pedro gosta de dizer que em seu truck a comida é feita por amigos, para amigos

Delícias Árabes da Laila

Comer na rua é uma aventura: escolhemos, às vezes, sem nem saber muito bem do que se trata. Foi assim a primeira vez que provei shawarma: um pão folha finíssimo, recheado com coalhada caseira feita com alho, salsinha, tahine, kafta e pedaços de um rabanete que ficou marinando com uma beterraba até ganhar um tom cor-de-rosa. O lanche tem inúmeras variações – essa é a versão da Laila – e foi difundido em um sem-fim de países, até por isso é longa a discussão sobre sua origem. Uma comida de rua no sentido mais intrínseco da expressão, é parecida com o turco döner kebab ou com o gyros, uma versão grega.

Enquanto monta os sanduíches, Laila rasga um pedaço de pão folha, pega um tanto de tabule e oferece a quem estiver esperando na barraca, sob a faixa com os dizeres "delícias árabes". Mal provo o sanduíche e na

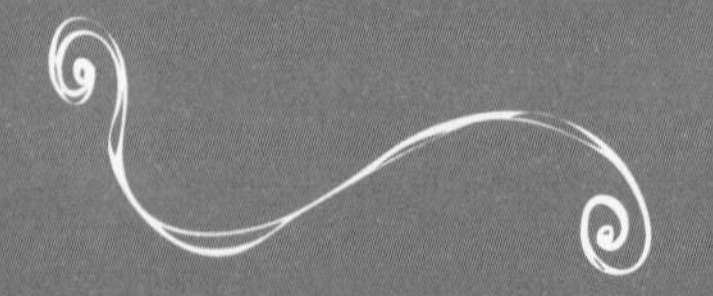

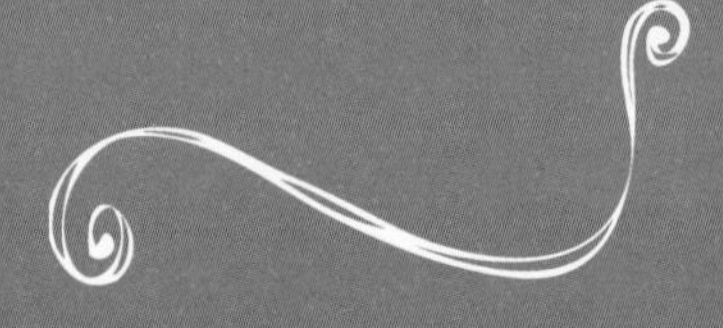

A shawarma da Laila me encantou de primeira, e faz valer o passeio até Moema

Charutinho, tabule, tahine e bolinho de erva-doce, tudo montado no capricho e servido no prato

hora comprovo a veracidade do slogan. Não vou falar mais para não quero estragar a surpresa da primeira mordida.

Há seis anos, Laila Charrouf faz comidas árabes na praça Nossa Senhora da Aparecida, em Moema, zona sul da capital paulista. A experiência vem da família, do tempo vivido no Líbano e dos 16 anos que passou na Nigéria, gerindo sua fábrica de compotas e conservas. Lá, aprendeu a cozinhar, tornou-se chef e até dava aulas de culinária, mas perdeu tudo "por causa de ladrão", conta, em um português carregado de sotaque.

Deixou o país africano em busca de um novo lar, mas não pôde retornar à sua terra natal por causa da Guerra de Julho, conflito árabe-israelense ocorrido em 2006. Os ataques duraram 34 dias e deixaram algo em torno de 900 mil civis desabrigados. Laila foi uma entre tantos libaneses que vieram para o Brasil refugiados em aviões da Força Aérea Brasileira enviados pelo Itamaraty.

Aqui, tentou ganhar a vida dando aulas de inglês, fazendo modelagem de vestidos de noiva e pintando quadros, mas nem assim conseguiu dinheiro para viver em São Paulo. "Antes eu vendia pinturas, *but* não dá", conta, misturando os idiomas.

"Não dá para pagar o aluguel com quadro. Fiquei 15 dias bebendo só água. Não tinha dinheiro para comprar um litro de leite. Tinha vergonha de pedir para os outros." Assim, Laila vai se lembrando das dificuldades que passou ao chegar à cidade.

Fazendo tudo o que podia para sustentar a família, passou um período vendendo quibes e esfirras pelo bairro onde morava. E foi justamente com a ajuda de uma vizinha que conseguiu a licença para trabalhar na feira de Moema. "Ela me deu 2 mil reais para começar, porque eu não tinha mais nenhum centavo. Me deu dinheiro pra comprar *the* barraca, comprar farinha, e assim comecei a trabalhar."

Laila, a libanesa radicada no Brasil que consegue ser simpática em três línguas diferentes

Hoje, ao servir seus pratos na feira, Laila coloca em prática suas heranças e memórias culinárias, conhece gente nova todos os dias e não deixa a cultura e os costumes de lado. O espaço não é grande, mas, debaixo do toldo amarelo, ela prepara tudo com a ajuda de um micro-ondas, uma prensa e um tannour, a chapa ovalada que serve para assar o pão sírio e cujo formato faz com que ele não encolha.

Quando estiver por lá, não deixe de perguntar tudo o que você sempre quis saber sobre o Líbano e sua gastronomia. Também não se esqueça de levar, para viagem, um pacote de pão folha e um vidro de coalhada seca com alho.

Quem come na barraca das Delícias Árabes come bem. Quibes, esfirras e outros salgados típicos são feitos em casa, artesanalmente, e congelados. Depois, são aquecidos e servidos com tabule, coalhada fresca e pão folha, que de tão fino a gente até duvida que foi feito à mão – mas ela jura que sim.

Os pratos mais elaborados são montados na hora e servidos em dois pequenos balcões para quem quiser comer sentado. Falafel, abobrinha e berinjela recheadas, charutinho de repolho e folha de uva, quibe de bandeja e bolinho de erva-doce são só algumas das opções que ela serve, ladeadas por coalhada, babaganuche e tahine – acompanhamentos co-

O pão folha é a própria Laila quem faz, usando uma almofada e o tannour, uma chapa de ferro ovalada; fica tão fininho que nem parece feito à mão locados na travessa com a ajuda de um saco de confeitar e enfeitados com mais daquele rabanete cor-de-rosa.

Tudo é feito com incrível capricho e com a mesma dedicação que ela tem para atender cada cliente e explicar, em até três línguas, o que há em cada um dos pratos. Laila é o típico caso de uma pessoa que nasceu para ser artista. Se não foi com os quadros ou com os vestidos, que seja com a comida. Que sorte a nossa! •

O quê
Comida árabe

Onde
Feira de Arte, Artesanato e Cultura de Moema, praça Nossa Senhora Aparecida, Indianópolis

Quando
Quartas, sextas e domingos, das 9h às 17h

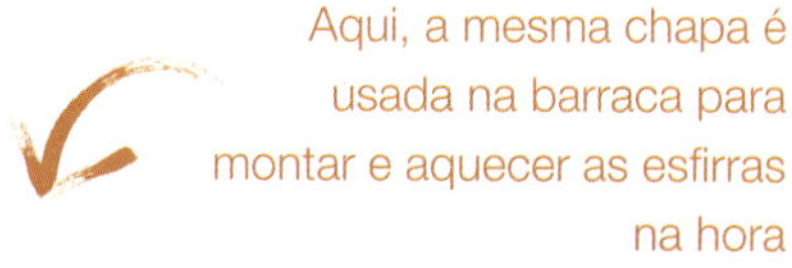

Aqui, a mesma chapa é usada na barraca para montar e aquecer as esfirras na hora

Embaixada Paraense

Uma das partes mais legais de se aventurar por aí comendo na rua é ter a oportunidade de experimentar coisas novas. Por mais que a gente tenha um prato predileto ou um restaurante preferido, não há nada como descobrir um novo sabor, uma junção de ingredientes inesperada, ou simplesmente conhecer uma culinária diferente.

Uma das versões mais autênticas da comida brasileira é a culinária paraense, que mistura influências indígenas e ingredientes regionais criando pratos que, aqui em São Paulo, muita gente categoriza como exóticos.

Para quem nunca provou um pato no tucupi, mas tem o bicho da curiosidade morando dentro da barriga, uma barraca com paredes de renda branca e gente com sotaque carregado promete agradar: a Embaixada Paraense II, comandada por Vângela Velozo.

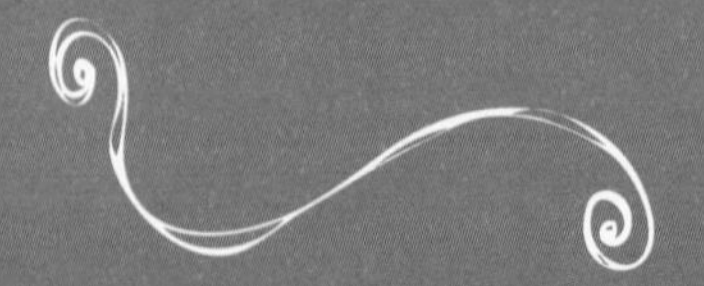
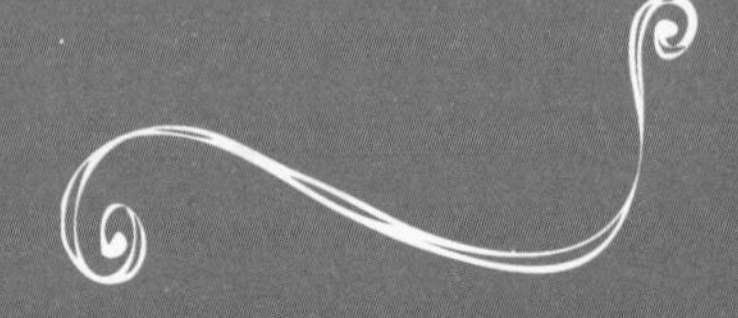

Um lugar para se surpreender com os sabores do Norte do país, como o tacacá

Não pensem vocês que esse é um daqueles lugares escondidos, que só quem é do bairro sabe que é bom. A barraca está todos os sábados, há quase cinco anos, na feira da praça Benedito Calixto. Bem ali, na parte de alimentação, ao lado do acarajé, em frente ao bolinho de bacalhau.

Quando descobri que podia tomar um tacacá na cuia em uma barraca de rua – como se faz em Belém – e não em um restaurante, como costuma ser em São Paulo, fiquei animadíssima.

Não existe meio-termo. "Ou você vai amar, ou vai odiar", é o que diz Vângela a todos que provam pela primeira vez. Felizmente, me encaixei na primeira opção. O gosto é forte, de sabor único. Servido na cuia, primeiro vai o tucupi, caldo amarelo que vem da mandioca. Depois, a goma, transparente, também proveniente da raiz. Os camarões secos complementam o prato, que é finalizado com jambu, erva amazônica que adormece os lábios e a língua.

Vângela nasceu no Norte, radicou-se no Nordeste e agora vive no Sudeste, apresentando jambu, tucupi e tacacá para os paulistanos

A barraca em um momento relativamente tranquilo; o melhor horário para a visita é perto do meio-dia

O tacacá tem personalidade forte e resume bem a culinária paraense. O fato de existir há muito tempo – e continuar existindo da mesma maneira, servido nas cuias, tomado nas calçadas – é o melhor exemplo do respeito e da importância que a comida de rua tem em outras capitais do país.

"Quando você vai para Belém, as pessoas te levam para os lugares favoritos delas. O meu é o Tacacá da Nazaré, que fica no Colégio Nazaré. Sou apaixonada. Quando chego, vou direto para lá", conta Vângela.

Vocês já devem suspeitar, mas é sempre bom deixar claro: ela é paraense. Sei que, involuntariamente, essa informação dá muito mais crédito à coisa toda, mas ela foi criada no Ceará. "Como aonde o paraense vai a geladeira dele vai junto", justifica, "sempre tinha um freezer cheio de produtos de Belém. A culinária que a gente consumia era do Pará."

O gosto pela cozinha está no sangue. Além dos pais, que tocam o Embaixada I, em Fortaleza, os seis irmãos de Vângela também levam jeito na cozinha. "É que o paraense demonstra que gosta de você através da mesa. É tudo muito farto. Da minha infância, me lembro do cheiro, de ver minha mãe cozinhar...", conta.

"Outra característica que o paraense tem é a mão pesada – não sabe servir à francesa. Quando a gente come, tem que ter muita

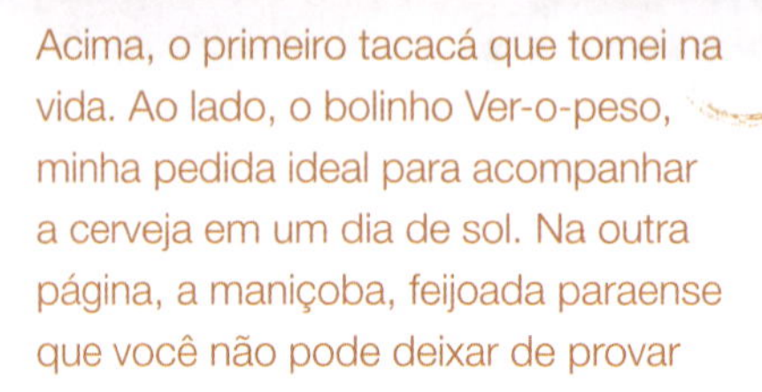

Acima, o primeiro tacacá que tomei na vida. Ao lado, o bolinho Ver-o-peso, minha pedida ideal para acompanhar a cerveja em um dia de sol. Na outra página, a maniçoba, feijoada paraense que você não pode deixar de provar

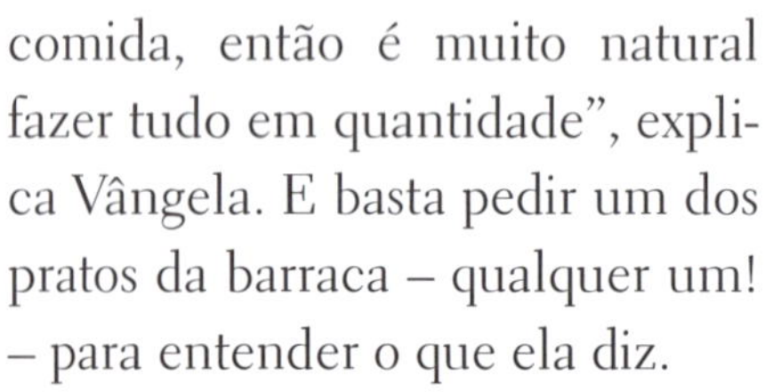

comida, então é muito natural fazer tudo em quantidade", explica Vângela. E basta pedir um dos pratos da barraca – qualquer um! – para entender o que ela diz.

Minha recomendação é a maniçoba com arroz paraense. Confesso que não tenho parâmetros, pois tudo o que provei ali foi pela primeira vez, mas só o preparo do prato já desperta a curiosidade. O arroz paraense leva jambu (como quase tudo na culinária local), tucupi e bastante camarão. A maniçoba, que é chamada de "feijoada paraense", é feita, basicamente, com carne de porco e folhas de maniva – que é venenosa! Para tornar-se apropriada para o consumo, fica cozinhando por quase uma semana.

Se a fome não for tanta, escolha entre os bolinhos Ver-o-Peso, feitos com queijo gouda e jambu, e o Samba do Cacete, de camarão seco e alho-poró. Uma latinha de cerveja Cerpa, a cerveja do paraense, pouco encontrada em São Paulo, faz bom par.

"Não criei a Embaixada para falar só da gastronomia, mas também da cultura, para que as pessoas aprendessem um pouco. Tem muita gente que não conhece o próprio país", explica Vângela. Daí o nome dos salgados homenagearem o maior mercado a céu aberto e uma dança típica de Cametá.

Os produtos vendidos na barraca chegam de avião a cada dois

meses. "Belém é uma cidade que consome a própria produção, então não existe uma rede de fornecedores. Eu tenho que ir para lá, tenho que ir à feira. Não dá para ligar para alguém e falar: 'Me vê dez quilos de chicória'. E quando você chega para despachar essa mercadoria, algumas coisas só podem sair dentro do isopor", conta.

Quando recebem os produtos, tudo é porcionado para durar até a próxima viagem. Por isso, quem chegar às três da tarde querendo provar um tacacá corre o risco de ficar sem.

Mais perto da hora do almoço, a espera é certa. "Aqui tem uma coisa boa, não sei se é uma dinâmica da própria cidade, mas as pessoas gostam do difícil. Adoram uma fila, quanto mais cheia está a barraca, mais eles esperam", diverte-se. "Gostaria muito de ter o produto sempre, mas o fato de não conseguir parece que é um tempero a mais."

Mas é claro que nem sempre foi assim. "No primeiro ano da Embaixada, bancamos os nossos custos. A gente dava cerveja de graça, dava bolinho de graça, fazia de tudo", conta Vângela. No início foi difícil conquistar o paulistano – e até o paraense, que tem memória gustativa intensa e é muito desconfiado. "A primeira pergunta é: tem algum paraense na barraca? Se não tiver, ele nem senta."

Vângela tem planos de abrir um restaurante, pois sente falta de uma cozinha de retaguarda para ampliar o cardápio. Mas, mesmo assim, diz que não larga a barraca. "Esse contato, esse boca a boca, é mais rápido que a internet. É um ponto que sempre vai fazer com que a gente não se acomode. Eu não gostaria nunca de tirar meu pé da rua." •

O quê
Comida paraense

Onde
Feira de Artes, Cultura e Lazer da Praça Benedito Calixto, Pinheiros

Quando
Sábados, das 8h às 19h

Guioza dos Nakamura

Visitar a Liberdade é uma festa para os sentidos. São diversos aromas e sons, muita gente por todos os lados, tanta coisa para ver e, claro, para comer. Se você leu com atenção o Guia de Sobrevivência da página 22, vai se lembrar do que falei sobre as filas. Pois bem: a quantidade de pessoas que espera para comer o guioza dos Nakamura é, definitivamente, proporcional à qualidade do bolinho.

Já vou avisar desde já: apesar de a feira funcionar durante todo o fim de semana, a parte de alimentação não é tão forte aos sábados. Os Nakamura, por exemplo, só estão lá aos domingos. Sabendo disso, é mais fácil se programar e não correr o risco de perder a viagem.

No dia em que estive lá para clicar as fotos do livro, fazia um sol maravilhoso. A barraca estava abarrotada. Quando a fome aper-

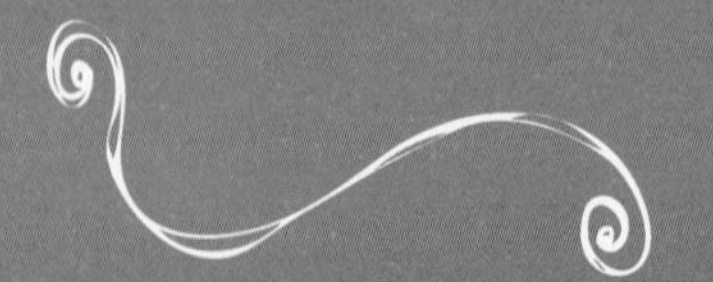

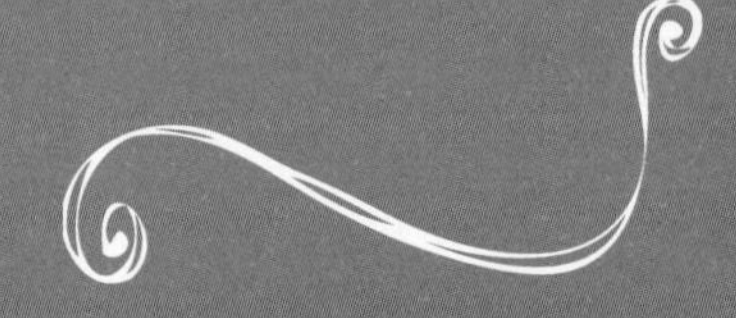

O famoso guioza dos Nakamura é um clássico da Feira da Liberdade tou, resolvi pedir meu guioza. Um sistema de senhas chama os clientes em um painel luminoso. Trato de pegar logo a minha. São 30 pedidos na minha frente, mas esperar é fácil – os atendentes são ágeis. Difícil mesmo é encontrar um espaço no balcão para se servir dos molhos. São oferecidos, além do clássico shoyu com cebolinha, uma versão com wasabi, um agridoce, outro mais picante e acompanhamentos como pepinos ou batatinhas, tudo imperdível.

O guioza que servem é do tamanho de uma mão fechada e chega muito quente. Você pode até tentar comer com hashi, mas aviso que é mais complicado do que parece.

Comi o meu em pé mesmo, na parte de trás da barraca, onde tem menos gente se aglomerando e de onde se tem uma visão perfeita da verdadeira linha de montagem abrigada debaixo do toldo vermelho.

Os bolinhos, antes de serem servidos, são passados na chapa para ficarem crocantes e quentinhos

São quatro funcionários em volta de uma mesa: um prepara a massa e outro sova. Um terceiro transforma tudo em um longo cilindro e corta as porções no tamanho exato. O quarto abre a massa em discos perfeitos com a ajuda de uma espécie de rolo de macarrão. Ao lado, a segunda geração dos Nakamura – Frank e Jackeline – recheia e fecha o bolinho com cuidado, dobrando as pontas com rapidez e maestria, antes de colocar no vapor. Depois de cozido, é tostado na chapa, para ficar crocante por fora antes de ser servido aos ávidos portadores de senhas amontoados em volta do balcão.

"Estão ficando muito pequenos!", avisa Frank vez ou outra. Devolve os discos daquela leva para que sejam refeitos. O controle de qualidade é rigoroso, e o guioza dos Nakamura nunca decepciona.

O bolinho, diferentemente do que muitos pensam, é um prato típico da culinária chinesa, que foi levado para o Japão por soldados que lutaram na Manchúria, no leste asiático, durante a

Frank é um dos responsáveis por manter vivo o legado da mãe, Yoco

Segunda Guerra Mundial. Lá, se tornou popular pela simplicidade dos ingredientes, e muita gente começou a preparar e a vender o guioza para sobreviver em um país que estava devastado.

A história da barraca mais apreciada da Liberdade também data de muitos anos, quando o local ainda era uma feira destinada apenas aos colonos. Quem cozinhava era Yoco Nakamura, que encontrou no ofício uma maneira de sustentar os filhos.

"Certa vez, ela viu uma cozinheira fazer. Era uma chinesa que não queria passar a receita de jeito nenhum, então minha mãe ficava lá fazendo faxina e prestando atenção para ver se conseguia aprender alguma coisa. Ela ia para casa e tentava repetir a receita. Só que, lógico, nunca ia dar certo, porque cada um tem um dom, um paladar para fazer esses temperos", conta Frank.

O pão chinês, chamado nikumanju, Yoco aprendeu a fazer com um amigo coreano. No início, o pãozinho foi mais popular que os guiozas – caía mais no gosto dos orientais, que eram os principais frequentadores da feira naqueles tempos. Após o fim da guerra, quando os japoneses começaram a migrar de volta para sua terra natal, as vendas caíram: o pãozinho não era bem-aceito entre os paulistanos. Por ser preparado basicamente só com farinha, água e fermento e depois ser cozido no vapor, a massa fica branquinha de tudo, e quem não conhece acha que está cru.

O guioza também não tinha muita saída – a culinária japonesa, de modo geral, não era tão difundida na cidade. "Para conseguir vender nessa época, minha mãe praticamente pagava para as pessoas comerem. Ela chegava a dar até dois de brinde para conseguir vender um", relembra Frank.

Mais da metade da produção ia embora de graça. Ele e os irmãos não entendiam muito bem o que a mãe estava fazendo. Ela explicava: "Primeiro vou ensinar o brasileiro a comer. Depois que aprender a gostar, o cliente virá sem eu pedir." E foi assim.

Atualmente a barraca oferece um tipo de guioza e sete tipos de

Cada um dos muitos funcionários da barraca tem uma função específica; é isso que faz a espera passar rapidinho

recheio para o pão chinês: vegetariano, de frango, porco ou vaca com legumes, e outras três versões com curry. Quando pensa no sucesso do guioza, Frank reconhece que a receita já sofreu várias transformações. "Nasceu de um jeito, mas, como não era nosso prato principal, não desenvolvemos muito a receita. Foi só depois que a gente começou a modificá-la."

Ele conta que a mãe estava sempre ali, perguntando aos clientes se faltava algo, se precisava oferecer algo a mais, pensando no que o paulistano prefere; assim a receita original foi ganhando gostinho e tempero brasileiro. "Hoje a gente é muito requisitado dentro da feira, e eu fico muito

As habilidosas mãos de Frank e Jackeline recheiam os guiozas um a um

O quê
Guioza e pão chinês

Onde
Feira de Arte, Artesanato e Cultura da Liberdade

Quando
Domingos, das 8h às 18h

orgulhoso dessa história, porque a dificuldade foi grande na época", fala, referindo-se ao ano de seu nascimento, o mesmo em que sua mãe ingressou na feira.

Quando dona Yoco morreu, em 2005, a família perdeu o direito ao espaço da barraca, já que a licença de funcionamento estava em nome dela. "Publicaram uma matéria sobre a gente na *Veja São Paulo*, em 2007, que falava de pratos que eram bem-aceitos na cidade. Foi citado nosso nome, minha foto saiu na matéria. Infelizmente, por causa disso, comecei a perder espaço, e tive que parar com a barraca." Foram três anos brigando contra a burocracia do sistema para poder voltar à Liberdade. "Fizemos até um abaixo-assinado, mas sumiram com as assinaturas. Fiquei sem saber para onde correr."

Frank continuou fazendo guiozas para vender em festas típicas, como a Tanabata Matsuri e outros eventos, até conseguir se restabelecer. Hoje, passado esse período difícil, ele conta que tudo o que viveu foi com prazer e intensidade, seguindo o exemplo de Yoco Nakamura.

"Devo tudo à perseverança da minha mãe. Algo tachado como impossível [vender um produto que não era consumido no país] hoje é coisa grande." E é mesmo. Tão grande quanto a fila. •

Logo que chegar, puxe uma senha e fique de olho! Os números rodam rápido, não vá deixar o seu passar

La Peruana

O grande truck vermelho adesivado com frases em espanhol já anuncia: o que se faz ali é "*musica para los dientes*". Quem cuida da cozinha do La Peruana é Marisabel Woodman, e é a ela que devemos os parabéns pelos pratos tradicionais feitos com capricho.

Não precisei de mais do que duas garfadas para me encantar com os sabores estrangeiros que ela coloca nos pratos e que nos transportam para algum lugar da costa peruana, quem sabe perto de onde Marisabel cresceu.

"Ainda crianças, eu e meus primos saíamos para a praia para ajudar os pescadores que trabalhavam de madrugada puxando as redes. Eles davam o resto da pesca e a gente cozinhava. Eu nem sabia direito o que estava fazendo, mas já gostava", recorda ela, com o brilho nos olhos de quem relembra uma antiga paixão.

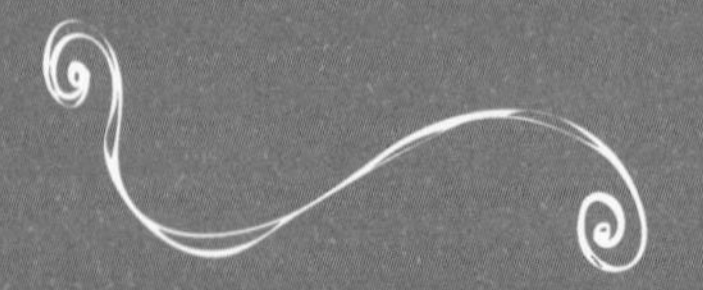

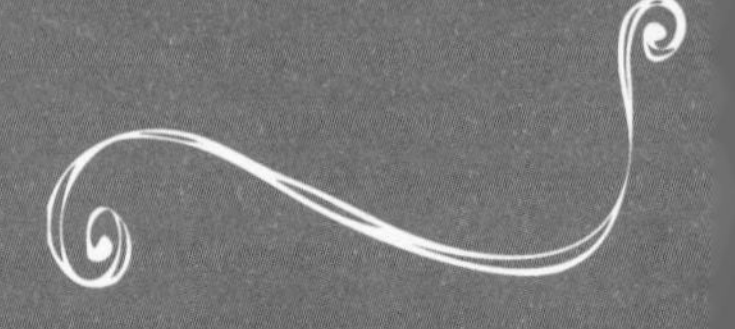

Com muito capricho, Marisabel recria receitas tradicionais, como a causa limeña

Ela conta que sempre quis estudar gastronomia, mas, por influência do pai, sua primeira graduação foi em administração de empresas. Durante a universidade, conheceu seu marido, o brasileiro Roni. Depois de formados, embarcaram juntos para Paris, onde ele faria o mestrado.

Na capital francesa ficaram por dois anos, e que lugar seria melhor para Marisabel finalmente estudar gastronomia? Durante o curso estagiou em três restaurantes do chef Alain Ducasse, entre eles o Plaza Atheneé, detentor de três estrelas Michelin.

Quando o casal mudou-se para o Brasil, Marisabel estagiou no D.O.M. e ficou por um ano na cozinha do Dalva e Dito. "A minha ideia era trabalhar com comida brasileira, então quando me chamaram achei ótimo!" Na premiada cozinha de Alex Atala, ela aprendeu a fazer moqueca, baião de dois, farofa.

O nome simples, o vermelho forte e as frases adesivadas anunciam de longe a chegada do La Peruana

A passagem por cozinhas tradicionais incluiu ainda um mês no Central, restaurante peruano de Virgilio Martínez e Pía León, eleito o melhor da América Latina pela revista britânica *Restaurant*. "Sempre soube que a cozinha peruana era incrível. Os sabores são muito intensos, os ingredientes, muito frescos. Mas o Virgilio eleva tudo isso a outro nível", garante Marisabel, que diz ter se emocionado na primeira vez em que comeu lá: "Quase chorei!"

Marisabel voltou ao Brasil já com a vontade de abrir o próprio negócio. Embora sua ideia inicial tenha sido montar um restaurante, no começo ela fornecia comida para eventos e também preparava suas receitas numa barraquinha chamada Chaqcha Cocina Peruana, para testar a aceitação do público. O passo seguinte foi montar uma cozinha em um espaço de 2 metros por 2 metros dentro do Mercadinho Chic que existia na alameda Santos, na região da avenida Paulista, onde ela servia

Marisabel mistura tempero peruano com amor brasileiro e deixa transparecer nos olhos a paixão pelo que faz

Ao lado e abaixo, o ceviche e o anticucho são algumas das especialidades que saem da cozinha móvel de Marisabel

40 refeições por dia utilizando apenas um fogão de três bocas.

A comida fazia sucesso, mas o nome era impronunciável. Por isso, quando decidiu que sua praia era mesmo a rua, Marisabel pensou em um nome mais fácil de lembrar, para que as pessoas pudessem buscar nas redes sociais sem dificuldades. Assim nasceu o La Peruana.

Uma das especialidades do truck é o ceviche, que tem três versões. A clássica conta com cubos de peixe cru – partidos no tamanho exato para caberem na boca um de cada vez – e temperos como coentro, pimenta dedo-de-moça fatiada fininha e rodelas de cebola roxa.

Há também uma opção com camarão e outra batizada com o nome do truck, que leva tudo isso e ainda anéis de lula fritos. Todas têm como base o leche de tigre (molho de limão condimentado, preparado com salsão, gengibre, pimenta, caldo de peixe e sal) e são acompanhadas por purê de batata-doce temperado com canela, cravo e anis-estrelado, milho cozido e uma espécie de calda feita com xarope de laranja. Se você der sorte, o purê será de papa amarilla, batata peruana de verdade, que Marisabel deu um jeito de arranjar com um fornecedor do interior paulista.

Fazem parte do menu outros clássicos peruanos, como o tacu tacu, tipicamente feito com arroz, e pallar, uma espécie de "feijão" peruano, muito comum no sul de Lima. "Aqui a gente usa feijão-preto, que é mais fácil de encontrar", conta. A mistura é passada na chapa, para ficar crocante por fora, e é servida com banana-da-terra, carne marinada em molho anticuchero e cebola e um ovo frito.

O anticucho também aparece no cardápio. Trata-se de um espetinho tradicionalmente montado com coração de boi. Aqui, como se pode imaginar, a iguaria não tem muita saída. Marisabel então usa filé-mignon, mas a receita da marinada é a mesma: cerveja, pimentas peruanas, hortelã e vinagre. O espeto fica descansando nesse molho por um dia inteiro antes de ser assado.

Para beber, há chicha morada, suco de milho roxo que fica cozinhando de um dia para o outro com canela, cravo e abacaxi. Marisabel conta que gosta de acrescentar um pouco dos sucos de limão e de tangerina, apesar de não fazerem parte da receita tradicional.

O segredo é usar os ingredientes sempre frescos e montar bem na hora de servir. Sua culinária está agradando muitos peruanos que moram por aqui, mas não só. Viajantes saudosos ou gente curiosa, como eu, também estão aprovando os preparos tradicionais. A verdade é que a receita do sucesso de Marisabel não é segredo e está estampada no truck para todo mundo ver: "*comida rica con amor*". •

O quê
Comida peruana

Onde e quando
Itinerante; ver facebook.com/laperuanabr

Salteñas de Don Carlos

São Paulo é uma cidade que abriga muitas culturas. As barracas de comida de rua que temos aqui são um ótimo parâmetro e nos transportam a diversos lugares. Nenhuma, entretanto, nos faz sentir tão estrangeiros em nosso próprio país quanto a barraca de salteñas Don Carlos.

Todo domingo as ruas ao redor da praça Elias Chaibub, no Canindé, zona norte de São Paulo, são tomadas por tecidos coloridos, inúmeras variedades e formatos de milho e gente de cabelo escuro, olhos puxados e pele morena. É a Feira Boliviana da Kantuta, uma das experiências mais incríveis que se pode ter na capital paulista, simplesmente porque pouco se parece com a cidade ao redor.

A flor da kantuta, que dá nome à feira, é um símbolo nacional da Bolívia, pois carrega nas pétalas as cores da bandeira. O espanhol

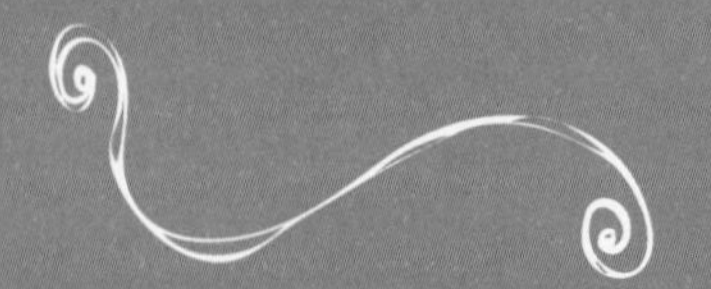
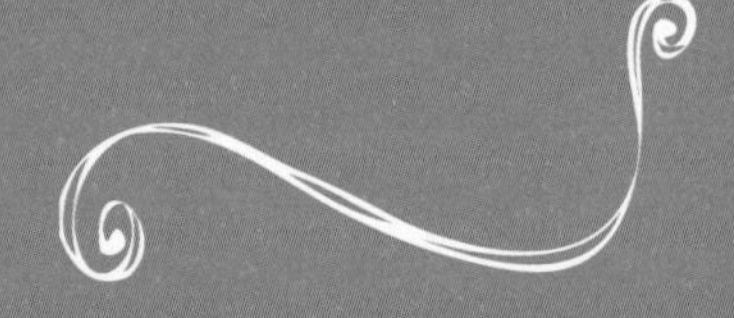

Salteña, a coxinha boliviana: comer uma dessas é uma experiência antropológica é a língua oficial do evento, e a frequência é quase que exclusivamente de bolivianos e seus descendentes. A trilha sonora é a cúmbia, ritmo nascido na Colômbia e difundido por países como Argentina, Uruguai, México, Peru e, é claro, Bolívia. A grande comunidade boliviana que fez de São Paulo sua segunda casa costuma se reunir ali semanalmente para matar a saudade e manter contato com a cultura e as tradições nativas.

A feira reúne tendas de mercadinho que vendem pães, doces, batatas e pimentas frescas e secas, além da famosa Inca Kola, refrigerante peruano de cor amarela e gosto de erva-cidreira. Outras barracas comercializam itens em lã de alpaca, cartões telefônicos, artesanatos e bandeiras. Há também locais onde é possível mandar dinheiro para os parentes na Bolívia ou cortar o cabelo à moda andina: basta escolher, entre as

Olha aí o caldo e a colher. Pode até tentar comer de outro jeito, mas é por sua conta e risco...

fotos penduradas na parede, qual estilo lhe cai melhor.

Grande parte das barracas da Kantuta é destinada à alimentação. É possível provar clássicos da cozinha boliviana, como sopa de maní (amendoim), mocochinche (suco de pêssego), salchipapas (batatas fritas com salsicha) e uma infinidade de outros pratos. Mas mesmo uma culinária tão rica tem sua especialidade das ruas.

No caso da Bolívia, é a salteña. "É como a coxinha daqui, um salgado popular", me conta Carlos Soto, dono de uma das barracas mais conhecidas da feira. Peço uma cerveja boliviana para abrir os trabalhos e entrar no clima. Leve e refrescante, a Paceña me conquista sem grandes dificuldades, enquanto converso com Carlos e espero para provar a salteña.

Parecida com o que nós, brasileiros, conhecemos por empanada argentina, a versão boliviana tem a massa um pouco adocicada, feita com farinha, banha, açúcar, sal e colorantes. O recheio é preparado com carnes e outros ingredientes,

Don Carlos, um dos idealizadores da Feira da Kantuta, está sempre por lá. Apesar de sério, é só falar da Bolívia que ele abre este sorrisão!

como cebola, salsinha e aji amarillo, um tipo de pimenta de origem peruana. Em La Paz, onde é mais popular, a salteña é consumida, por hábito, apenas até o meio-dia. Carlos explica: "Antigamente se fazia com caldo de mocotó, mas ele fermenta muito rápido. Então não dá para ficar na estufa." Aqui, a receita foi adaptada, e não tem essa de hora certa para comer uma salteña.

"Muy caliente", me advertem, quando estou prestes a dar a primeira mordida. É importante comer do jeito certo: o salgado deve ser mantido na vertical para não perder o caldo e o recheio deve ser comido com a ajuda de uma colher, porque é muito, muito quente. Mesmo com os avisos, há quem queime a língua.

As salteñas são vendidas por Don Carlos desde o primeiro domingo de 2001, após o engenheiro tomar a decisão que mudaria radicalmente seu estilo de vida. As coisas não iam muito bem quando ele decidiu parar de fazer projetos e se dedicar a fazer comida. A pretensão nunca foi de viver disso, mas o sucesso o fez pensar duas vezes.

Misturando algo daqui e dali, Carlos Soto fez sua própria massa com um toque único. "Os temperos são os mesmos de qualquer um, mas depende da quantidade que se usa, do momento em que você coloca os condimentos. Algumas coisas foram feitas à base de teste, do tempo passar e de ir provando", conta.

Inicialmente, a receita preparada por Don Carlos era muito diferente – mais seca, menos condimentada. Ele conta que foi adaptando o salgado de acordo com os comentários de seus fregueses. "Falavam 'tem que ter mais caldo', 'tem que ter isso assim', então fui melhorando pelas

São cinco sabores diferentes para comer na hora ou levar para casa

O quê
Salteña

Onde
Feira Boliviana da Kantuta, praça Elias Chiabub, Pari

Quando
Domingo, das 11h às 19h

dicas." O gosto do salgado de Don Carlos é antigo, como diz, "daquele tempo em que as salteñas eram boas na Bolívia". Parece que agora estão muito doces.

Entre as opções oferecidas, estão a de carne, feita com ovos, azeitona e uva-passa, a de frango e sua versão picante, e a minha preferida, de fricassê, que leva pernil de porco e mote, aquele milho boliviano enorme que mede ao menos três vezes o tamanho do amarelinho daqui. Tem também a de queijo, que, a bem da verdade, é uma empanada, mas ainda assim é muito gostosa.

Carlos Soto foi um dos responsáveis por organizar e legalizar a Kantuta. "Comecei em um lugar que era clandestino em 2001", diz ele, se referindo ao espaço que era usado antigamente, na praça Padre Bento. "Pouco tempo depois, incumbido de regulamentar a feira, fiz os trâmites na prefeitura e consegui realizar esse evento. Foi um trabalho bem bonito", orgulha-se, olhando as crianças a brincar na praça.

Nossa conversa termina junto com a Paceña. Só me resta fazer mais um pedido e levar as encomendas para casa, como fazem muitos dos clientes. A salteña não fica igual quando é aquecida no forno, mas é uma boa lembrança de uma "viagem" à Bolívia. •

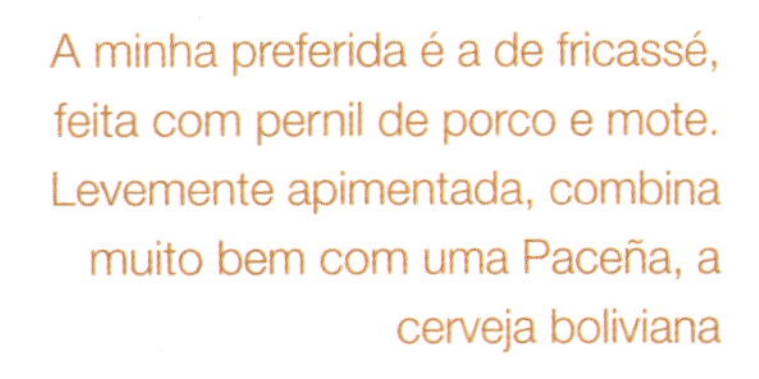

A minha preferida é a de fricassê, feita com pernil de porco e mote. Levemente apimentada, combina muito bem com uma Paceña, a cerveja boliviana

Os clássicos da rua

Aqui estão reunidos alguns clássicos da comida de rua do Brasil e do mundo. Embora o capítulo inclua vários food trucks descolados que estão rodando pela cidade, a verdade é que parte do que está aqui não tem o menor glamour – o que não quer dizer que seja menos delicioso. Afinal, não raro, quanto mais simples a barraca, mais gostosa a comida!

Acarajé da Anne

Por sua tradição nas ruas de Salvador, achei que este guia não estaria completo sem uma sugestão de acarajé gostoso em São Paulo. Não pense você que encontrar um foi tarefa fácil – até porque comprovar empiricamente a qualidade de um acarajé é tarefa para estômagos treinados.

O acarajé é um prato característico do candomblé, e é considerado por muitos uma comida sagrada, que deve ser preparada apenas por cozinheiros de santo, que seguem a receita à risca, sem alterar nada. Esse não é o caso da Anne – apelido de Flaviane Meneses, baiana radicada em São Paulo há mais de duas décadas. Há seis anos, ela, que não segue a religião de origem do prato, trabalha vendendo seu acarajé, que também não obedece à receita tradicional.

Sua avó foi uma baiana de acarajé que trabalhou por anos

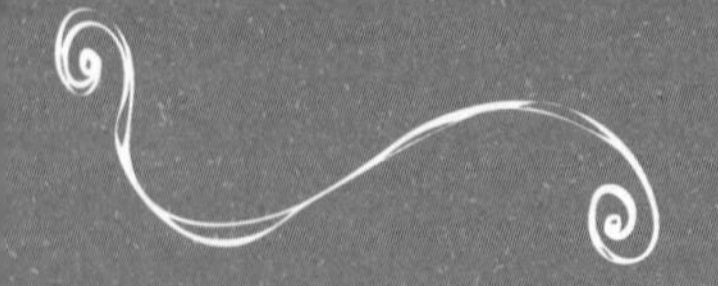
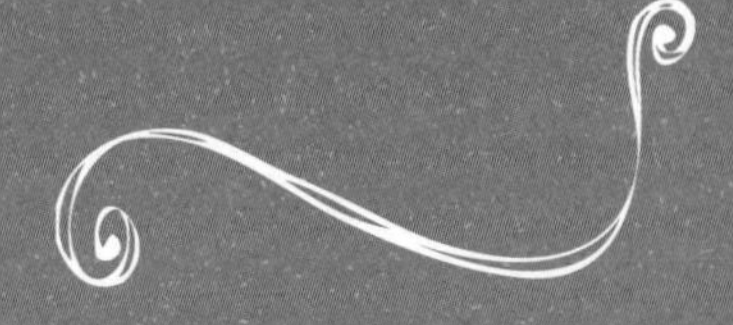

Acarajé: uma comida de rua que é Patrimônio Nacional

A barraca da Anne começou com um tabuleiro pequeno e foi crescendo, crescendo...

em tabuleiros, preparando e vendendo o acarajé. Apesar disso, Anne diz que nunca viu sua avó cozinhar, nem herdou sua receita. Ela aprendeu em um sonho. "Deus me deu, passo a passo, enquanto eu dormia: o vatapá, o caruru, os temperos todos. A última cartada foi o camarão."

Em 2008, quando começou no ofício, Anne, tímida e delicada, fazia apenas serviço de delivery para os escritórios da região da Vila Olímpia. Mas não é fácil vender acarajé assim.

"Lá na Bahia tem muita tradição, o acarajé tem que ser feito na rua mesmo. Aqui em São Paulo essa coisa gera um pouco de preconceito. Lá, é normal uma baiana estar em um tabuleiro de acarajé. É um patrimônio, uma cultura que tem que ser respeitada", defende ela.

Tanto é cultura que, em 2005, o ofício das baianas foi registrado no Livro dos Saberes pelo Instituto do Patrimônio Histórico e Artístico Nacional do Ministério da

Cultura (Iphan) e reconhecido como Patrimônio Cultural Imaterial do Brasil.

Mas, afinal, o que é que o acarajé tem? Tem um bolinho de feijão-fradinho frito em azeite de dendê e cortado ao meio; o vatapá, creme de cor amarela e sabor forte, preparado com fubá, pimenta-malagueta, gengibre, amendoim, castanha de caju, leite de coco e outros ingredientes; o caruru, feito à base de quiabo; camarões com casca e a salada, que nada mais é do que tomates verdes e vermelhos cortados em cubinhos, às vezes acompanhados por cebola em uma espécie de vinagrete. A pimenta é o toque final – e essencial!

O nome, em sua origem africana, significa "comer bola de fogo" – em referência evidente aos temperos fortes. Mas quem disse isso não tinha provado o acarajé da Anne. O molho de pimenta dedo-de-moça que ela serve é preparado no capricho, e fica mais saboroso do que forte. Quando passado no meio do bolinho, não anula os outros sabores do prato. "Você tem que perceber os limites de cada

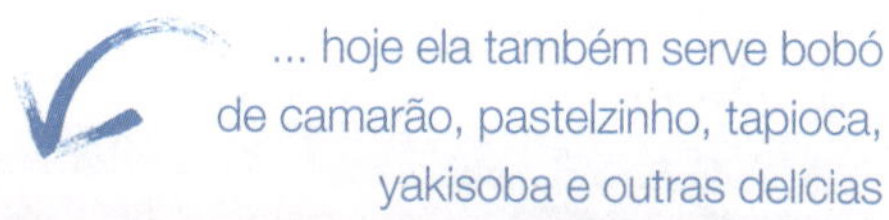

... hoje ela também serve bobó de camarão, pastelzinho, tapioca, yakisoba e outras delícias

alimento, se não fica tudo um angu!", justifica.

Muita gente comete alguns crimes na hora de preparar o acarajé: economizar no camarão, não colocar a salada e até mesmo fritar o bolinho em óleo comum. Mas não a Anne. Seu acarajé é na medida. "É que eu trabalho para o baiano e principalmente para o paulista. Tento favorecer o estômago das pessoas, e o paulistano não está acostumado com o acarajé 100% baiano, então faço um pouquinho light", explica, referindo-se à pimenta.

O bolinho dela é macio (o segredo aqui é o tempo que se bate a massa – quando está no ponto, fica como se fosse uma espuma), frito em azeite de dendê, que vai em todos os ingredientes – mas moderadamente, "para não fazer barulho depois".

Na barraquinha, ela também oferece abará, que é o mesmo bo-

Para quem não quer provar o prato da maneira tradicional, Anne oferece assim, tudo separadinho

linho só que cozido em folha de bananeira, e uma porçãozinha de camarão frito com vinagrete, ideal para acompanhar uma cerveja gelada no fim do expediente.

Mesmo tendo dissociado suas receitas do aspecto religioso, Anne mostra que, de forma alguma, perdeu o respeito por qualquer crença. "Aqui come todo tipo de gente: evangélico, católico, umbandista...", enumera. Também atende muitos estrangeiros. "Difícil só é falar a língua deles e entender o que eles querem", brinca.

A comida da Anne é uma boa pedida para qualquer um em busca de um bom acarajé para comer na cidade – e do jeito certo: na rua. •

O quê
Acarajé

Onde
Rua Gomes de Carvalho, esquina com a rua Raja Gabaglia, Vila Olímpia

Quando
Segunda a quinta, das 12h às 20h; sexta até as 22h

Anne diz que é tímida, mas em poucos minutos de conversa olha aí quanta simpatia!

Espetinho do Gringo

Churrasquinho é o tipo de comida de rua que tem lugar cativo no coração do paulistano, irresistivelmente atraído pelo aroma da carne assada – uma coisa louca. Pode até ser carne de segunda, de terceira, que a gente nem liga. Faz vista grossa e come assim mesmo.

Em uma esquina do bairro do Bixiga, entre as ruas Treze de Maio e Conselheiro Carrão, a apenas alguns metros da Cappuano, a primeira cantina italiana de São Paulo, foi onde provei o melhor espetinho da cidade. Eu poderia dizer do Brasil, mas iriam achar que estou exagerando. Talvez eu esteja, um pouco, mas é importante ressaltar que o petisco é muito bom, ainda que preparado por um argentino. Deixando de lado a rivalidade entre brasileiros e os vizinhos de Mercosul, a fama dos *hermanos* é notória quando o assunto é churrasco.

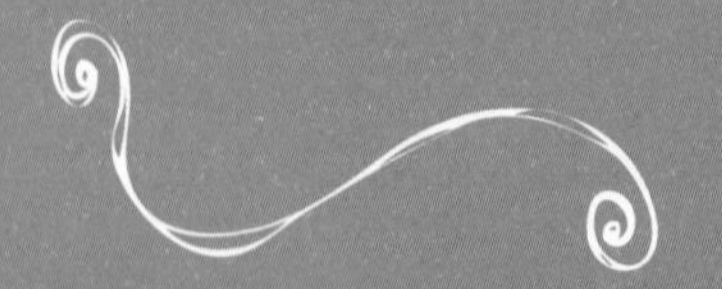
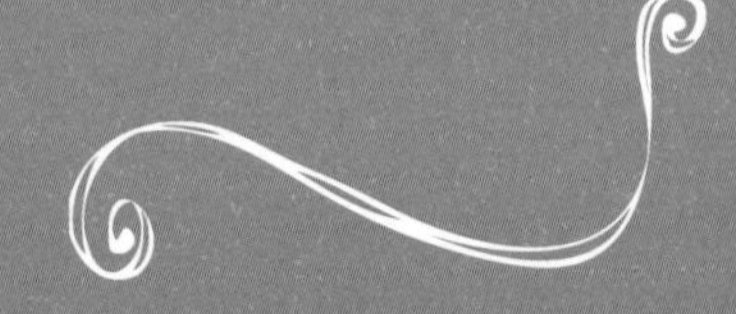

O churrasco do
Gringo é a minha
sugestão para quem
quer ótimo custo-
-benefício

Carlos Argentino carrega a nacionalidade até no nome – e, para quem duvidar, ele mostra o registro como prova irrefutável. Há quase 30 anos, mudou-se de Buenos Aires para cá, embora tenha se apaixonado pelo Brasil já na década de 1970.

"Vim para cá porque sempre gostei dessa loucura. É incrível como basta atravessar a fronteira e a mudança é 100%... A Argentina cresceu com o sistema repressor, militarismo. Você vem aqui e não tem nada a ver, é diferente", vai contando ele, em uma conversa interrompida apenas pelo estalar do carvão e pelos conhecidos do bairro, que se recusam a cruzar a rua sem dar um alô ao Gringo, como é carinhosamente conhecido.

Naquela época, vigorava em seu país natal uma ditadura militar, e a Guerra das Malvinas, em 1982, havia desestabilizado o governo. Escapando então da crise econômica, Carlos chegou ao Brasil junto com a Constituição de 1988 e o processo de re-

Concentrado, Gringo foge das fotos para montar os espetinhos na frente do freguês democratização. "Sabe o que me cansou? O sistema argentino, fechado, conservador. Eu me sentia um estrangeiro em minha terra."

Podemos dizer que o Gringo se tornou churrasqueiro por acidente. Literalmente. Na Argentina, ele trabalhava como modelista de sapatos, ofício que seguiu após se mudar para cá. E seguiria até hoje, não tivesse sido atropelado na avenida 9 de Julho. Teve que ficar 11 meses sem trabalhar. Foi então que teve a ideia: "Um dia vi um cara fazendo comida na rua e tive um estalo. Eu queria ser independente, e aí fiquei nessa. E funcionou."

No início, seu ponto era entre as ruas Manuel Dutra e a Santo Antônio, onde ficou por oito anos. Perfeccionista que é, mudou-se porque, segundo ele, o dono do bar da esquina não sabia trabalhar. Hoje, fica bem em frente à padaria Camões, onde a clientela pede cerveja para descer com o churrasquinho. Um programa ideal para uma tarde quente e preguiçosa. Quando chega o fim de semana, a clientela se anima e, segundo ele, rola samba até altas horas da madrugada.

Carlos sempre gostou de cozinhar, e o talento está no sangue. "Não conheci minha mãe, mas minhas tias contam que ela cozinhava sem ajuda nenhuma, só com isso aqui, ó", diz, apontando para a cabeça. "Ela fazia tudo de memória." Com as tias, aprendeu a respeitar e selecionar os alimentos. Compra tudo no mesmo açougue há nove anos.

"Aqui, brasileiro não tem o costume de falar que está errado", observa. "Tem gente que vai ao mercado, sabe que está comprando porcaria, mas leva!" Ele revela o segredo para não ser enganado na hora de escolher a carne para um bom churrasco: "Eu compro a peça inteira. Assim, você sabe o que está levando, é muito melhor. Se você pede cortado, aí podem mandar qualquer coisa."

Além de servir carne, frango, queijo de coalho e linguiça no espeto, tem coração de frango e kafta. Também oferece as mesmas opções no pão francês. Recomendo o espetinho de queijo, que, diferentemente dos que encontramos em supermercados, consiste em fatias compridas e largas que

Queijo, linguiça e carne, tudo assa junto na grelha simples porém bem arrumadinha do argentino

recebem as marcas da grelha e ficam crocantes por fora, macias por dentro e nunca geladas, como acontece quando tentamos assá-las no fogão. O de carne também é uma delícia: intercala pedaços suculentos, com pouca gordura, e cebola roxa. Antes era montado com pimentão, mas, segundo o Gringo me conta, o brasileiro não é muito chegado.

O sanduíche de linguiça é um dos que mais saem. Uma de suas versões tem até um nome especial. "*Hay* aqui um lanche que *el nombre* é Mata Larica, porque tem duas linguiças e um queijo. O tipo vem louco aí e come até dois desse", diverte-se Carlos.

Os espetinhos não estão completos sem o toque especial: o chimichurri. Esse molho, muito usado na Argentina e no Uruguai, é feito à base de alho e salsinha, mas pode levar também ingredientes como coentro, suco de limão e pimentas.

Guardei o melhor para o final. O Gringo prepara o lanche que, para mim, é o que vale a visita: kafta no pão. Parece simples. Complemento com um vinagrete de tomate, cebola e pimentão verde, um pouco de farofa e o chimichurri. Os temperos da carne se misturam com o sabor do alho do molho e a acidez do vinagrete criando o que acredito ser um dos melhores lanches de churrasco que já provei.

O quê
Espetinho

Onde
Rua Treze de Maio, esquina com a rua Conselheiro Carrão

Quando
Segunda a sábado, das 17h às 22h

Carne, cebola, mais carne e cebola. Tudo coberto por muito chimichurri, é claro!

A receita do tempero da kafta, eu consegui: canela, hortelã, erva-doce, pimenta e alho. A do chimichurri continua um segredo de Estado – e começo a pensar que assim deve permanecer. "Aprendi em Buenos Aires. Não é todo mundo que sabe fazer direito. Brinco que até a Ana Maria Braga pode me pedir a receita, mas eu não dou", conta, fazendo uma graça. Gringo explica que o produto na versão industrializada, vendido em qualquer mercado, é apenas um dos ingredientes de seu molho, que ainda leva salsinha, vinagre, alho e azeite.

Sua jornada de trabalho começa às 8h30 e só se encerra por volta das 22h ou 23h, muitas vezes coincidindo com o final dos espetinhos. Mesmo cansado, Carlos não reclama. "Faço compras todos os dias porque não tenho espaço suficiente para guardar no estoque. Mas é até melhor assim, fica tudo fresquinho."

"Tchau, Carlos", me despeço com a certeza de voltar para mais uma happy hour de cerveja gelada na padaria e churrasquinho do Gringo. "Estou desacostumado que me chamem de Carlos", responde. "Já me chamaram até de China!" Pergunto se algum dos apelidos o incomoda. "Não", retruca com bom humor. Só não gosta quando o chamam de Paraguaio: "China fica melhor." •

Falafeando

O nome torna rápida a associação, mas, para quem não conhece, a especialidade do Falafeando é um bolinho de grão-de-bico muito popular no Oriente Médio, o falafel. Temperado com alho, cebola, coentro, salsinha e cominho, é frito em imersão e servido com tahine, uma pasta de gergelim tostado. É muito consumido nas ruas de países como Egito, Israel e Estados Unidos.

A receita do falafel, e também das outras especialidades servidas no carro, são todas de família. Simone Mouzayek era o tipo de mãe que cozinhava em todas as festas e enchia a mesa com pratos típicos fartos e deliciosos. Sua filha Sálua e a sobrinha Kamila Boueri aprenderam com ela os truques culinários desde cedo. O cunhado, Rafael Nishihara, completou a parceria para montar o negócio sobre rodas.

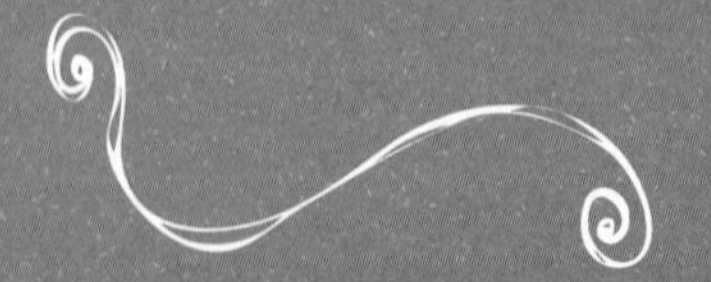
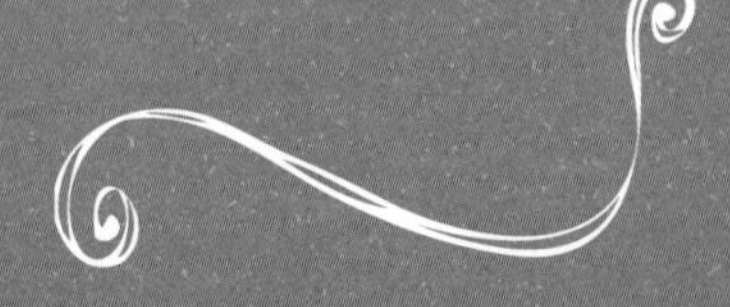

O falafel, bolinho frito de grão-de-bico famoso ao redor do mundo, é o recheio de um sanduíche delicioso

"Sempre achei uma delícia a comida dela", confessa Rafael.

O cardápio é pequenino, como o carro. Inclui o falafel em forma de porção, com cinco unidades, ou no sanduíche de pão sírio. O quibe frito também pode virar recheio do lanche enrolado ou ser servido em porção. Há também homus (temperado com bastante cominho), coalhada com pão sírio e uma porçãozinha de batatas rústicas, o único item do cardápio que não é preparado pelas mulheres da família.

Se pedido no prato, conseguimos ver todos os ingredientes usados em ambos os sanduíches: picles de pepino, tomatinhos partidos, hortelã e salsinha, além do molho tahine. Mas enroladinho, além de mais prático, é muito mais gostoso.

A porção de bolinhos é frita na hora, sob o olhar atento de Kamila, que está sempre no carrinho. Ela diz que o óleo tem de estar bem quente, para dourar o falafel por cima mas também cozinhar por dentro – sem queimar! Ela sabe

Kamila está sempre no truck, ora montando os lanches, ora traduzindo os pedidos para árabe

O quê
Falafel

Onde e quando
Intinerante; ver facebook.com/falafeando

O truck é um trailer pequenino, que precisa da tração de outro veículo para rodar

direitinho o momento de retirar os petiscos da fritadeira, mas não há nenhum timer apitando para avisá-la disso. "A nossa família é toda árabe, então já tenho o costume", conta ela, que sabe de olho qual é o ponto certo da fritura.

Simpática, é ela quem anota todos os pedidos e interrompe os fregueses que tentam pedir direto ao rapaz que normalmente monta os sanduíches – ele é sírio, não fala quase nada de português. Kamila traduz, em árabe, a ordem dos pratos, que ele vai soltando com agilidade.

Pergunto se ter origens árabes é um pré-requisito para trabalhar com eles, e Kamila explica que não. "Mas ajuda muito, porque são pessoas que cresceram vendo as mães e as avós enrolando esse tipo de pão, que não é fácil de manusear. Levaria muito tempo para ensinar alguém que não soubesse", comenta.

No cardápio, ao lado das opções, há um apanhado de expressões em árabe com seu significado ao lado. "As pessoas até arriscam a pedir direto", diverte-se Kamila. Não foi o meu caso, mas, se você quiser arriscar, "*Wahad sandwish falafel amol maaruf*" e bom apetite. •

Kebab Street Food

Quem conhece o kebab possivelmente teve o primeiro contato com o lanche fora do Brasil. Tipicamente turco, ele tem variadas versões em diferentes países do Oriente Médio e adaptações em países como Grécia, França e Canadá, por exemplo. A versão chamada de döner desembarcou na Europa, mais precisamente na Alemanha, no início dos anos 1960.

Em São Paulo o kebab surgiu em uma versão bastante conhecida pelos frequentadores do centro da cidade: o churrasquinho grego. Mas agora o kebab tradicional começa a aparecer, e um dos melhores exemplares é o Kebab Street Food, de Rodrigo David.

Rodrigo se encontra entre as panelas desde criança. "Minha mãe tinha uma rotisseria e me pedia para desossar o frango, montar lasanha, essas coisas de mãe", brinca.

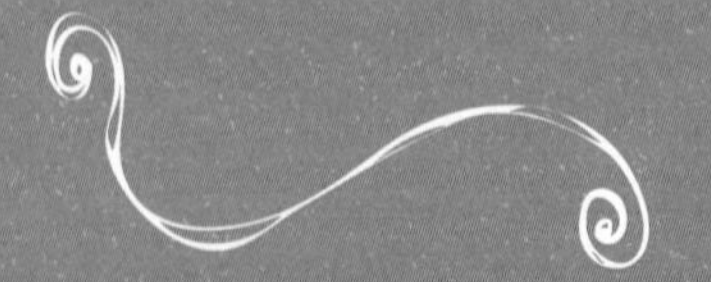
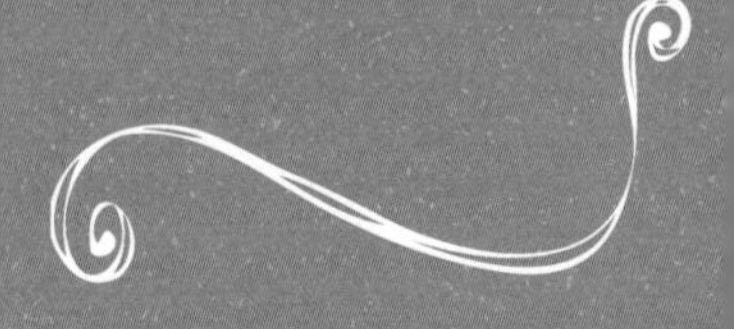

O kebab
do Rodrigo
é incrível e fica
ainda melhor com a
geleia de pimenta
caseira que ele
faz

Quase formado em biologia, largou a faculdade para tentar conquistar o sonho americano e mudou-se para os Estados Unidos. Lá, vivendo por conta própria, aproximou-se mais ainda da cozinha. Cozinhava para si e para os amigos.

Durante esse período, conheceu um chef da renomada escola francesa Le Cordon Bleu e com ele aprendeu muito do que sabe hoje. "Ele fazia eventos e achou que eu tinha talento. Me convidou para trabalhar com ele. E eu não sabia nada! Ele não ligou, disse que ia me ensinar tudo o que sabia", lembra. Assim, Rodrigo passou a trabalhar em eventos de catering aos fins de semana, mas considerava a vida de cozinheiro apenas um passatempo.

Rodrigo voltou ao Brasil em 2008, sem saber que rumo seguir,

O lanche é montado em camadas bem no centro do pão folha, que depois é enrolado, embrulhado em papel-alumínio e entregue ao cliente

Com a boa onda do mercado, a "ximbica" foi substituída por um truck mais moderno

na famosa crise dos 30 anos. Resolveu focar na gastronomia: fez consultoria, auxiliou na abertura de alguns restaurantes, treinou brigadas. A última cozinha que comandou foi a de um hotel, com 17 pessoas em sua brigada.

Em 2013, recebeu o convite para ser chef da cozinha de uma universidade alemã que recebe pessoas do mundo todo para fazer cursos de verão. Foi lá que conheceu o kebab. "Tinha uma barraca em cada esquina", recorda Rodrigo. "Logo pensei que tinha que levar aquilo para o Brasil."

Aproveitou os meses na Alemanha e fez extensa pesquisa do lanche. Estudou a origem, os molhos, comparou os recheios, provou de tudo. Pedia para os turcos que faziam o kebab lhe ensinarem os truques e as receitas.

Quando voltou ao Brasil com vontade de abrir um negocio próprio, sua situação financeira não permitia um investimento tão alto. Sendo assim, Rodrigo resolveu abrir um food truck numa kombi, "a famosa ximbica 77; se não ser certo, pelo menos não perco muito dinheiro", pensou.

Começou em março de 2014 com o kebab na porta de cervejarias, mas, para conseguir atender um público mais regular, chamou a kombi de "gourmet express" e mudava sempre o cardápio, para as pessoas não enjoarem.

No período da Copa do Mundo, trabalhou como responsável pela cozinha da área VIP e ficou um tempo afastado da comida de rua. Poucos meses depois, quando voltou, percebeu que o mercado estava bem diferente, com muito mais concorrência; para se diferenciar, decidiu servir apenas o kebab.

Tanta dedicação rendeu frutos, e Rodrigo já conseguiu trocar a kombi antiga por um caminhãozinho, que lhe permite mais mobilidade e conforto na cozinha móvel.

Há diversos recheios: frango, miolo de alcatra, misto e uma versão vegetariana que substitui

Embalado em papel-alumínio, é prático para comer na hora ou levar para viagem

a carne por queijo coalho passado na chapa com uma geleia de pimenta deliciosa. Com o sucesso do kebab, Rodrigo passou a oferecer também a shawarma.

Não deixe de provar o especial do chef, que pode ser um misto de carne, queijo e geleia de pimenta, ou uma redução de uísque Jack Daniels com cebolas caramelizadas, ou ainda uma versão tailandesa do lanche, que Rodrigo ainda está aperfeiçoando. Assim como acontece com outros cozinheiros de trucks, a diminuta cozinha é o espaço que Rodrigo tem para exercitar a criatividade e cozinhar o que está com vontade. •

O quê
Kebab

Onde e quando
Itinerante; ver facebook.com/kebabstreetfood

Falante e animado, Rodrigo explica com paciência o recheio de cada lanche e ainda cita os ingredientes secretos: amor e carinho

La Vera Porchetta

"A porchetta é a quintessência dos prazeres italianos." Quem disse isso foi o inglês Jamie Oliver no livro que escreveu enquanto viajava pelo país da bota. E foi justamente o livro uma das inspirações para a criação do food truck La Vera Porchetta.

O então estudante de gastronomia Guilhermo Pinto se encantou pela peça enrolada de porco quando a viu pela primeira vez em um programa de televisão. Procurou referências, estudou os sabores, adaptou a receita e criou seu sanduíche. "Nessa época de testes, eu preparava quase um por dia!", conta.

Porchetta é o nome do corte que inclui o lombo, a costela e a barriga do porco. É uma carne suculenta e saborosa que, desossada e enrolada, se transforma em um delicioso rocambole robusto, com camadas de tempero, gordurinha e pele de porco.

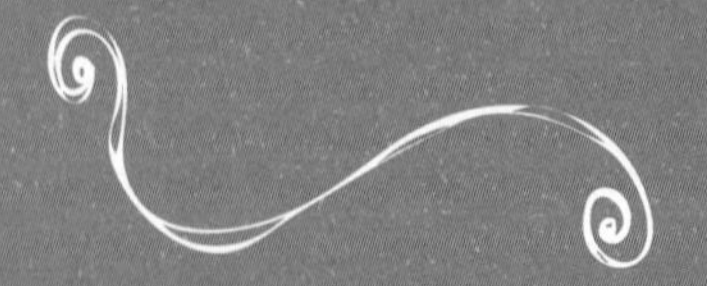

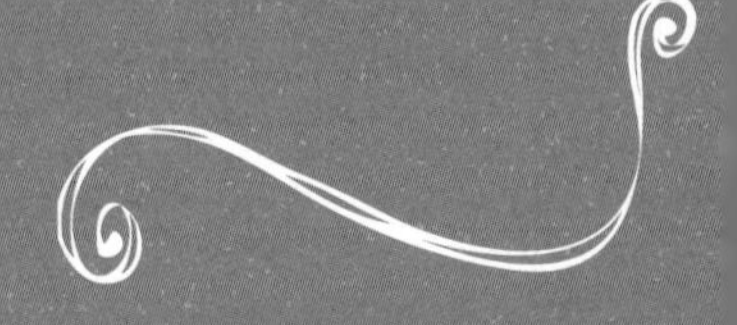

Dá para imaginar o aroma dessa peça de porco quando sai do forno e é fatiada?

O corte foi selecionado como um produto agroalimentar tradicional e como um alimento com relevância cultural pelo Ministério da Política Agrícola Alimentar e Florestal da Itália. Pelo país, não é incomum encontrarmos caminhões grandes e brancos que vendem a carne em pedaços para levar para casa ou que montam um sanduíche ali na hora, se você preferir.

O logo do porquinho aparece na embalagem do lanche e no rótulo da cerveja artesanal, feita em parceria com uma pequena cervejaria

A paixão de Guilhermo se tornou seu trabalho de conclusão de curso na FMU, no qual apresentou um plano de negócios completo. "Quando criei o projeto, pensei em tudo, desde o desenho à abordagem do cliente." Foi tudo muito rápido, mas bem pensado do início ao fim.

A logomarca do La Vera Porchetta recentemente virou tatuagem no pulso do chef. Fazem companhia para o simpático suíno uma imagem da primeira faca de cozinha de Guilhermo, utilizada nos primeiros testes para o sanduíche,

e um limão-siciliano, ingrediente querido que dá o toque especial ao molho. "Tenho a maior fé, acredito no meu negócio. Estou feliz com essa conquista", orgulha-se.

Recém-formado, o chef de 24 anos começou ainda em dezembro de 2013 a colecionar seguidores do lanche, que servia numa barraquinha montada na Feirinha Gastronômica. Levou menos de nove meses para inaugurar seu food truck, o Porchettão, uma espécie de contêiner que se acopla a um veículo motorizado.

A caixa de metal abre três de seus lados para expor as belas vitrines e fazer espaço para servir os clientes. Pelo vidro, dá para ver os pedaços roliços de porco aquecidos pela luz, esperando o momento de serem fatiados e acomodados no pão ciabatta.

Antes de chegarem até essa etapa, amarradinhos com barbante, foram recebidos por Guilhermo, que tempera cada peça com sal de especiarias, faz cortes transversais para que os sabores penetrem melhor na carne,

Guilhermo, o jovem chef responsável pela porchetta, tem planos ambiciosos para seu sanduíche

Carne suculenta, torresmo crocante e molho especial: na teoria, a receita parece simples, mas na prática a história é outra

enrola cada uma, besunta de azeite e mais especiarias e coloca para assar. Leva em média 2h30 de forno, e mais um tempinho descansando, para ficar como deve.

Uma porchetta é suficiente para fazer cerca de 30 sanduíches. Cada um deles é finalizado com o molho que é segredo da casa, mas segue a base italiana original: azeite, salsinha, grãos de coentro, especiarias, suco e raspas de limão-siciliano. Por cima, pedaços de uma pururuca caprichada são cortadinhos para garantir crocância extra.

É isso. Não há opção vegetariana nem nada. Aliás, não há qualquer opção. A especialidade é uma só, mas executada com maestria.

A ideia para o futuro do negócio é espalhar o Porchettão por aí, em sistema de franquias. "Quem sabe montar uma kombi também, ou um carro mais antigo", completa Guilhermo, sem descartar a possibilidade de uma loja física. Na agenda ainda há espaço para uma viagem gastronômica pela Itália. "O roteiro deve incluir Roma, Milão, Parma, Sicília e a região da Toscana", enumera.

O espírito aventureiro do jovem chef anda a mil, mas, enquanto nada disso acontece, Guilhermo tem novidades para os fãs da marca: uma cerveja artesanal feita com casca de laranja e grãos de coentro, em parceria com uma pequena fábrica, e balinhas de menta com framboesa, feitas pela Papabubble, estampadas com a cara do porquinho. Oinc! •

O quê
Sanduíche de barriga de porco

Onde e quando
Itinerante; ver facebook.com/laveraporchetta

O Porchettão, um contêiner que abriga a equipe e as porchettas

Pastel da Maria

Pode perguntar para qualquer um que gosta de comer na rua: "qual é seu pastel preferido?" Eu diria que, quase invariavelmente, a resposta vai indicar a barraquinha da feira do bairro, aquela que é a mais perto de casa, que em algum dia da semana acorda você religiosamente com o glorioso cheiro de massa frita e queijo derretido. E não tem nada como sair de casa e, com o mínimo de esforço e locomoção, poder ter em mãos um pastel fresquinho.

Eu adoro pastel, mas como não moro perto de nenhuma feira nunca tive predileção por nenhuma barraca específica. Mapear todos os pasteleiros da cidade é simplesmente inviável, então, resolvi provar os campeões do concurso O Melhor Pastel de Feira de São Paulo, que costumava ser promovido pela prefeitura, e escolher empiricamente o meu preferido.

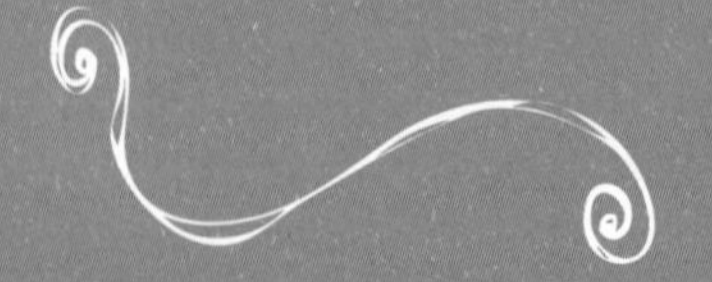
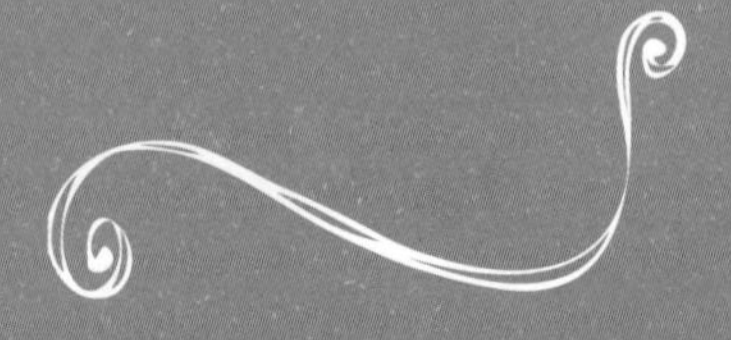

O pastel de carne especial foi o campeão do concurso que elegeu o melhor da cidade

Molho verde: a receita é segredo, mas o sucesso todo mundo vê!

Foram quatro pastéis de carne-seca até chegar a um veredicto, e a barraca campeã coincidiu com a que levou o tal prêmio o maior número de vezes. Sim, estou falando do Pastel da Maria. Vencedora de duas edições, participou na terceira apenas como jurada – seu pastel foi considerado hors-concours das ruas da capital.

A tradição de japoneses fazendo pastel é antiga e, em sua família, Maria – que na verdade se chama Kuniko Kohakura Yonaha – pertence à segunda geração de pasteleiros. O ofício, ela aprendeu nova, três anos depois de ter desembarcado do Japão. Seus pais mudaram-se para o Brasil em 1963 para se encontrar com o resto da família, que imigrou na época da Segunda Guerra.

"Ficamos um ano e pouco trabalhando com meus tios em uma barraca de empório, sabe? Mas por falta de experiência, acho, não deu muito certo." Pouco tempo depois, seu pai aprendeu a fazer massa com um amigo, abriu uma banquinha de pastéis e envolveu a família toda na produção.

Os recheios eram feitos até as 8 horas da noite, depois ficavam descansando junto com a massa. Como não tinham freezer para armazenar nada, a família acordava de madrugada para montar os pastéis a tempo de ir para a feira logo cedo, às seis da manhã. Quando chegavam em casa, no início da tarde, já estava na hora de cozinhar os ingredientes do recheio novamente. Era uma rotina cansativa, especialmente para Maria, que tinha apenas 14 anos. "A gente fazia pastel, mas não podia nem comer porque era muito caro – comia só os que furavam", lembra.

Aos 19 anos, casou-se. Estava feliz em sair da feira para se tornar dona de casa. Acontece que a família de seu novo marido era formada por quinze pessoas. "Já imaginou lavar roupa e cozinhar para tudo isso de gente?", brinca. O casamento durou apenas alguns anos e, quando seus pais decidiram retornar ao Japão, Maria resolveu voltar para o pastel.

"Já tentei largar a barraca, porque é uma vida muito sacrificada", conta ela. Teve, entre suas empreitadas, uma casa de espetinhos e até mesmo um karaokê, mas as contas não fechavam; de um jeito ou de outro, ela acabava retornando para a barraquinha.

Aos domingos, a barraca movimenta o Mercado Modelo, na Mooca, e a Maria está sempre por lá

Até que, em 2009, sua sorte mudou. Ela estava para abrir uma empresa nova quando decidiu, de última hora, participar da primeira edição do concurso. E não é que ela ganhou?! O pastel da Maria foi reconhecido como o melhor da cidade por uma banca que provou as versões recheadas com carne moída e incluía personalidades gastronômicas e chefs gabaritados.

É claro que eu precisava provar do premiado sabor. Mesmo não sendo o meu predileto, devo reconhecer: o recheio de carne moída bem fritinha, temperada com cebola e ervas, um pouco de sal, uma pimenta do reino, talvez?, e a massa sequinha e crocante. Ideal para comer acompanhado de uma Coca-Cola gelada no meio da feira. No balcão, o vinagrete e um molho verde, bem verdinho mesmo, completam a parceria e dão um toque ainda mais saboroso ao pastel.

"Com o concurso a venda triplicou! Vinha gente de tudo quanto é lugar, recebi cartas de todos os cantos do mundo: Japão, Estados Unidos...", conta Maria. Não

Maria, que tanto já quis largar a vida de feirante, hoje não troca a barraca por nada

demorou muito para sua produção diária tornar-se insuficiente. Ela alugou um espaço maior para preparar os salgados e triplicou o número de funcionários.

Com tanto sucesso e a grande procura por sua marca, Maria percebeu que poderia ampliar ainda mais os negócios. Como não tinha interesse em gerenciar muita gente, criou um sistema de franquias.

Abriu uma fábrica no bairro da Casa Verde, e em frente, sua primeira loja. A produção passou a ser feita em escala quase industrial para abastecer os novos endereços – que não param de se multiplicar.

Mesmo assim, ela diz que não quer mais sair da rua ou parar de trabalhar na sua banquinha de pastel. "De jeito nenhum. Pois se foi a barraca que me deu tudo isso! Não vendo ela por nada. Posso abrir várias franquias, mas largar a barraca, nunca." Além do mais, por mais difícil e trabalhoso que seja, ela gosta muito de estar na feira. "Lá é outra coisa – cada dia você está em um lugar, conhece várias pessoas, é uma diversão. Eu adoro. A-do-ro!"

Quem frequenta sua banquinha no Parque Novo Mundo, aos sábados, ou na Feira Modelo da Mooca, aos domingos, sabe que ela está sempre por lá. Durante a semana, passa em suas lojas, nas franquias e na fábrica, para ver se está tudo em ordem.

Maria não revela quantas unidades vende por dia, entre os mais de vinte sabores disponíveis nas barracas. O mais pedido, em qualquer um dos pontos, é o de carne – a mesma receita que venceu o concurso. Coincidência ou não, também é o sabor preferido da Maria. Ela diz que come um todo dia. Pergunto se é por causa do controle de qualidade, mas ela confessa que é por gosto mesmo. "Aquele pastel de carne com o meu molho verde e um vinagrete... Aquilo lá, menina, fala baixo!" •

O quê
Pastel

Onde e quando
Feiras livres: terça e quinta, praça Charles Miller, no Pacaembu; quarta, rua Cayowaá, em Perdizes, e rua Dr. César, em Santana; sábado, Parque Novo Mundo, Vila Maria; domingo, Feira Modelo, Mooca

Pernil do Zezé

Se antigamente o sanduíche de pernil era uma das comidinhas de rua mais fáceis de se encontrar, hoje já não é bem assim. O lanche tornou-se popular quando era vendido na porta dos estádios – local que atualmente é evitado por conta da fiscalização. Mesmo assim, um bom exemplar é obrigatório em um guia que se preze.

É no varejão da Ceagesp, entre frutas e legumes, peixes e queijos, que está José Xavier de Araújo e seu pernil. Mineiro, parece tímido e quietinho, mas basta perder o estranhamento inicial que desanda a contar sobre sua vida e o ofício que ama.

Zezé sempre teve sucesso nas pequenas coisas: quando vendia jornais durante a infância, passada em Uberlândia, diz ele que era o mais rápido e eficiente entregador. Quando resolveu vender carne, não foi diferente – conta que

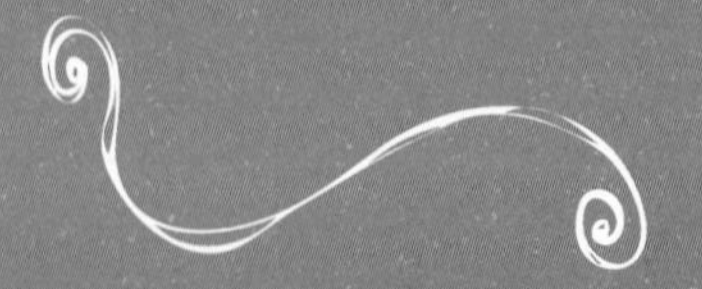
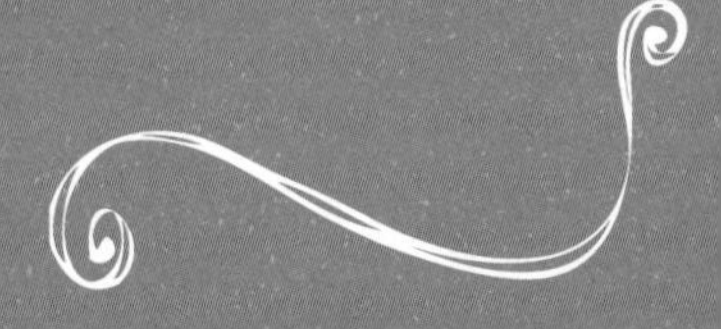

Quem disse
que lugar de
sanduíche de pernil
é só em porta de
estádio?

tornou-se o melhor açougueiro da região onde morava, em Brasília.

Veio para São Paulo em 1999, por recomendação de um amigo. "Manuel, se fosse você no meu lugar", perguntou, "para onde você iria?". Na época, os negócios não iam muito bem e seu relacionamento havia chegado ao fim. Para onde correr? O amigo foi taxativo – e ele veio.

Mora na cidade há quase quinze anos, mas diz que seu mundo é a Ceagesp. Foi uma vez à praia, comemorar o Ano-Novo, e outra vez tomou um ônibus até a avenida Paulista para ver se era aquela coisa toda que as pessoas diziam – e só. Garante que não precisa de mais.

Para ele, a Ceagesp poderia facilmente sintetizar São Paulo – é como poucos lugares da cidade: "Abriga um povo trabalhador e não fecha nunca." Quer dizer, só em duas ocasiões: Natal e Ano-Novo. "Aqui não é lugar de ca-

A carne cozinha lentamente e o molho vai caramelizando junto com as cebolas em uma grande assadeira

bra frouxo. É o lugar onde o filho chora e a mãe não vê", conclui.

Logo que chegou à cidade, montou a barraca e escolheu o pernil pelo gosto e familiaridade com a carne. Depois de alguns anos na feira aos fins de semana, conseguiu abrir um restaurante no local – mas não troca o contato que tem com seus clientes quando está na barraca pelos bastidores de uma cozinha fechada. Ele gosta mesmo é de ver gente. "Por mim eu morava ali na praça da Sé, naquela multidão."

Ele conta que já estava trabalhando com o pernil há bastante tempo quando finalmente conseguiu a vaga no varejão de quarta-feira, que reúne o que há de melhor na Ceagesp – na época, era seu maior sonho.

Hoje, ele quer mais. "Meu pernil ainda vai ser conhecido como o melhor de São Paulo!", afirma. Até para fora do país ele sonha em levar seu lanche. "Nos Estados Unidos, junto de todo McDonald's vou colocar uma barraca do Zezé do Pernil", brinca.

Em São Paulo há 15 anos, o mundo de Zezé é a Ceagesp

Zezé está sempre na barraca, e conhece em detalhes o gosto de cada um de seus clientes regulares. Em duas visitas ele já sabe se o seu é com ou sem vinagrete, se vai cebola ou pimenta. Se o cliente for muito especial – ou muito carente –, ele mesmo ocupa o lugar do chapeiro para preparar o sanduíche.

"Ele ainda vai se candidatar a vereador!", grita um cliente. "E o slogan vai ser: Para mudar o Brasil, Zezé do pernil!", completa outro. Zezé confessa que chegou a cogitar a possibilidade – sempre gostou muito de política, uma herança que traz dos anos que morou em Brasília.

A barraca começou como um negócio de família: pai de um lado, filho do outro. Conquistou os clientes pelo aroma, a fumaça, o bate-papo e o descompromisso. Nem sempre foi assim, é claro. "No início, tinha dias que eu vendia só 25 lanches", conta.

E aí, que tal vestir a camisa e encarar um sanduíche de pernil?

Hoje, a coisa é diferente – seu pernil está famoso. Até empresta espaço a outros lanches, como calabresa, filé e peito de frango; mas o pernil continua sendo a estrela da casa.

O quê
Sanduíche de pernil

Onde
Avenida Dr. Gastão Vidigal 1946, Vila Leopoldina

Quando
Quarta, das 14h às 22h (portão 7); sábado, das 7h às 12h30; domingo, das 7h às 13h30 (portão 3)

Aparentemente, a receita não tem muitos segredos: um bom pão francês, que está sempre fresquinho; a carne, que fica marinando durante seis horas em um tempero especial, molhadinho, com bastante cebola; e o tempo de forno – uma hora por quilo de pernil, para assar por igual, sem pressa. É daqueles sanduíches suculentos, que só de ver montar a gente já fica com água na boca. •

Philly St. Food Truck

Dizem que o famoso sanduíche de carne com queijo do estado americano da Filadélfia foi criado na década de 1930 pelos irmãos Pat e Harry Olivieri, donos de um carrinho de cachorro-quente. Um dia, cansados do mesmo pão com salsicha, resolveram trocar o recheio por carne. Enquanto Pat comia seu lanche, um taxista se aproximou e pediu um igual. Quando terminou de comer, o motorista sugeriu que os irmãos parassem com o dogue e fizessem apenas o cheesesteak. Os irmãos aceitaram a sugestão e, a partir daí, passaram a vender o lanche perto do South Philadelphia Italian Market. Além da carne e do queijo, eles ofereciam outros ingredientes que podiam incrementar o sanduíche de acordo com a preferência do cliente.

O famoso cheesesteak da Filadélfia, no entanto, não é tão simples de reproduzir quanto

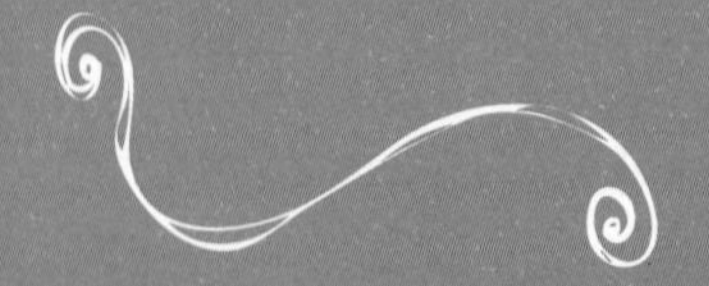
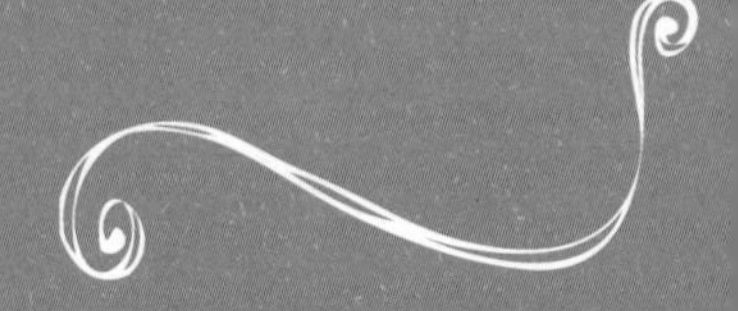

O tradicional cheesesteak da Filadélfia agora também em São Paulo

O tradicional sanduíche de carne é suculento e fica ainda mais saboroso por causa do incrível molho de queijo

pode parecer, pois todas as partes devem respeitar a essência do lanche original. Nos Estados Unidos, o pão utilizado é produzido pela Amoroso, uma padaria familiar que existe há mais de um século. Comprido e levemente salgado, é bem mais macio do que o pão para cachorro-quente que temos por aqui. Já o queijo mais usado é, na verdade, uma pasta da marca Kraft chamada Cheez Whiz. Finalmente, a carne deve ser laminada e cortada em fatias bem fininhas, quase como um carpaccio. Confesso que nunca provei o sanduíche original, mas, pelo que apurei, o cheesesteak do Philly chega bem perto.

Cansados da vida pesada que levavam trabalhando na cozinha de um restaurante asiático em São Paulo, Carlos Eduardo Kuroiva e Leonardo Bocca fizeram como o protagonista do filme *Chef*, vivido por Jon Favreau: largaram tudo para montar seu próprio food truck.

Há alguns anos, Carlos havia saído do Brasil para ser crupiê de cassino nos Estados Unidos. Lá,

O sanduíche de falafel é um coadjuvante que rouba a cena

quis mudar de profissão e foi parar na cozinha de uma churrascaria brasileira, mas foi só quando se mudou para a Austrália que começou a estudar gastronomia de verdade. A primeira vez que Cacá, como é conhecido, pensou em abrir um food truck foi durante uma viagem à Tailândia, onde a comida de rua é uma verdadeira instituição cultural.

Leonardo, por sua vez, se aventura entre as panelas desde pequeno. Formou-se chef de cozinha pelo Senac de Águas de São Pedro, no interior paulista, e trabalhou em alguns restaurantes antes de conhecer o sócio.

Quando os dois começaram a pensar no truck, o sanduíche não foi a primeira opção. Mas Carlos, que conhecia bem o lanche, tinha o palpite de que seria um sucesso. “Quando eu morava na Filadélfia e passava 15 horas trabalhando na cozinha, o cheesesteak era a única coisa que eu queria comer no fim do turno”, lembra. “Ele foi criado para ser comida de rua mesmo, é prático e muito gostoso.”

Depois de selecionarem o cheesesteak, a dupla passou alguns meses participando de feiras gastronômicas com uma barraquinha para testar a receptividade do lanche, e ambos concordam que foi uma ótima experiência. Esse período também foi propício para eles aprimorarem a receita, aperfeiçoarem a montagem e encontrarem bons fornecedores, elementos muito importantes para que o sanduíche do Philly fique tão saboroso quanto o original.

No truck, a carne usada é um corte específico do entrecôte, laminado bem fininho, como a carne do sukiyaki japonês ou do shabu shabu coreano. "Nem todos os lugares fornecem, então passamos muito tempo pesquisando açougues para comprar assim", explica Cacá. Para chegar a um creme de queijo que fosse parecido com o industrializado americano, os rapazes desenvolveram uma receita que mistura provolone, gouda e gruyère derretidos, fundidos e emulsificados com goma xantana. Já o pão é a baguete francesa, mas, da última vez que conversamos, Leonardo disse que tinham encontrado um

Cacá e Leonardo homenageiam famoso sanduíche da Filadélfia nas ruas de São Paulo

novo fornecedor e que eles estavam empolgados com a nova parceria. Após apenas três meses rodando, a busca é constante para deixar o sanduíche cada vez mais parecido com o americano.

Como o cardápio é, digamos, enxuto, a dupla resolveu incluir uma versão vegetariana também. “Aqui em São Paulo a demanda por pratos sem carne é muito alta e não é tão fácil encontrar opções na rua. Então bolamos um sanduba para atender a galera”, explica Leonardo.

No mesmo tipo de pão usado no cheesesteak, eles montam o sanduíche de falafel, com bolinhos de massa de grão-de-bico fritos na hora, pasta de azeitona preta, alho confitado, relish de repolho roxo agridoce e molho à base de iogurte, pepino e dill. Na minha modesta opinião, é uma opção ainda mais incrível do que o astro principal.

Os planos da dupla para o futuro incluem a possibilidade de mudar temporariamente sua especialidade. “Como cozinheiros, temos muita vontade de fazer coisas diferentes. É difícil se limitar a um mesmo cardápio, a criatividade sempre pede mais”, contam. Por enquanto, teremos que aguardar a mudança de estações para saber que outras delícias o truck ainda vai servir. •

O quê
Sanduíches

Onde e quando
Itinerante; ver facebook.com/cadeophillyst

Rolando Massinha

Eis aqui um clássico pouco clássico. Existe desde 2007 nas ruas da capital e chama a atenção por onde quer que passe. Não é para menos: como não notar uma kombi 1996 branca com bolinhas coloridas? Entretanto, o prato que ali se encontra não é tão usual assim. Espaguete, nhoque e fettuccine são algumas das nove opções de massa oferecidas, complementadas com três tipos de molho e servidas com duas fatias de pão.

Rolando Vanucci é, além de chef e proprietário do Rolando Massinha, presidente eleito da Associação de Comida de Rua de São Paulo. Como se tudo isso já não fosse um prato cheio, ele ainda encontra tempo para expandir a cadeia de carros com bolinhas por aí.

Seus novos negócios incluem: um carro que serve cachorro-quente à moda antiga, feito com linguiça e coberturas especiais; outro que faz hambúrguer ar-

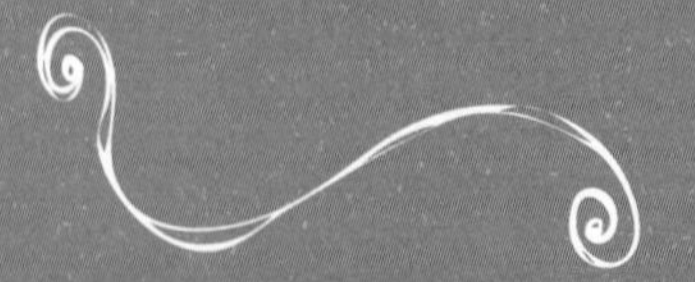

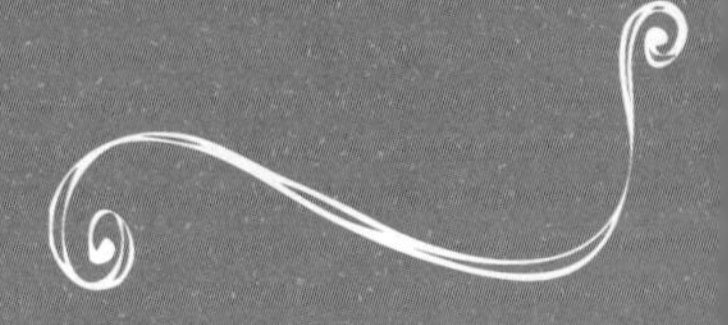

Spaghetti à bolonhesa do Rolando Massinha, um clássico!

O nhoque recheado com quatro queijos é enorme e bem farto, dá pra notar?

tesanal e um carro de churros, daqueles espanhóis, que a gente vai molhando no potinho, sabe? Uma delícia, no tamanho certo – acabam os churros mas não acaba o chocolate!

Ele não para por aí. No total, vai montar oito ou nove carros, cujas especialidades ainda está definindo. "Vem aí o espetinho, kebabinho, pastelzinho, geladinho..." Tudo no diminutivo, como o nome da kombi que lhe deu a fama. Mas o modelo de veículo agora se modernizou e Rolando fez sucesso no Salão do Automóvel com um truck míni e modernoso, um modelo da Lifan.

Faço meu pedido – uma combinação infalível, se você quer saber: nhoque recheado com quatro queijos e molho à bolonhesa com calabresa. A cada mordida o queijo estica, e me divirto feito criança, tentando não me sujar. O molho é levemente apimentado e tem um gosto todo especial, apesar de Rolando não esconder que a base é molho enlatado. O segredo é a quantidade de alho frito e mostarda que compõem a preparação – minha sugestão é que você peça a receita a ele e tente reproduzir em casa depois. É simples, rápida e muito fácil de fazer!

Outros pratos não deixam por menos: o fiori, por exemplo, que tem esse nome por causa do formato de flor, é cortado e recheado à mão. Mesmo com tantas opções diferentes, o mais pedido é o clássico espaguete à bolonhesa – que pode ser simples, mas é bem caprichado.

Todas as massas são fabricadas por Rolando, um cozinheiro autodidata. "A gente que faz. Quando era terceirizado eles não colocavam exatamente quatro queijos no nhoque, que é um dos carros-chefe da casa, sabe? Aí não dá, pô. Eu também sou consumidor, gosto de comer o que me propõem", explica.

Sempre de bom humor, ele costuma estar por ali, recebendo seus clientes. Isso quando não está em seu quartel-general testando alguma receita ou administrando seus novos projetos. Quem vê o Rolando assim, tão cercado pelas coisas que gosta de fazer, nem de longe poderia imaginar que ele já foi fotógrafo de casamento, empreiteiro de obra, pintor de parede, organizador de festa e vendedor de loja. A atual ocupação, ele descobriu por acaso.

A ideia de vender comida na rua nasceu há quase 20 anos, enquanto trabalhava em trailers de cachorro-quente em Belo Horizonte. Por um motivo ou outro, o plano não foi para frente, mas também não morreu, apenas "minguou", como ele diz.

As massas em forma de flor são feitas à mão por Rolando e sua equipe

Alguns anos depois, já em São Paulo, um tanto desiludido com algumas trapaças da vida, Rolando resolveu se arriscar em uma loucura. "Parei em frente a uma kombi de cachorro-quente e perguntei para a moça se ela sabia de alguém que tinha uma igual à dela, limpinha, bonitinha e que eu pudesse comprar." Por incrível que pareça, ela sabia. Comprou o carro assim, no impulso mesmo.

Em 15 dias o veículo passou por uma intensa reforma para receber refrigeradores, um fogão para três panelas de molho e duas de massa e armários para estoque. O nome atual veio mais tarde, por inspiração dos próprios clientes. "As pessoas ligavam e diziam 'Estou aqui na Sumaré, comendo uma massinha!', e ficou!"

Ele afirma que o segredo de seu sucesso está no atendimento. "Gosto do contato com as pessoas. A comida é paladar, é individual. Você pode gostar ou

Que tal provar um nhoque quatro queijos com molho à bolonhesa ou um fettuccine ao molho branco?

não. O atendimento, independentemente da comida, acaba envolvendo o cliente." E, todos os dias, ele prova que acredita mesmo na teoria. Não economiza simpatia com todos os clientes que atende, seja na avenida Sumaré, na zona oeste da capital, onde geralmente fica, seja na cozinha-base, que faz serviço de delivery também, ou no Pátio Gastronômico, food park que ajudou a idealizar localizado na zona norte (veja página 246), onde está todos os domingos. •

O quê
Macarrão

Onde
Avenida Sumaré 611 (estacionamento da Amazon Volkswagen)

Quando
Segunda a quinta, das 20h às 24h; sexta, sábado e domingo, das 20h às 2h

Não é à toa que Alex Atala se referiu a Rolando como um herói da comida de rua

Tapioca do Cezar

Uma plaquinha pendurada junto ao balcão da barraca avisa: "Não damos sugestão de sabores, favor não insistir". Assim mesmo, na lata. Também, pudera! São mais de 400 opções de recheio para a tapioca que o Cezar Carlos prepara todos os dias.

Debaixo da tenda que ele arma para montar a cozinha, há um fogão de um lado, uma fritadeira de pastéis do outro e uma série de caixas térmicas refrigeradas para guardar todos os ingredientes. Há também uma mesa comunitária, com mais de dez lugares, onde as pessoas esperam sair a tapioca, preparada na hora.

A goma de mandioca vai para a frigideira, esquenta de um lado até virar um disco e então é virada no ar, para tostar do outro e ficar bem crocante. Depois, é só decidir entre tantas opções de recheio; o cliente pode escolher um dos sabores listados em um

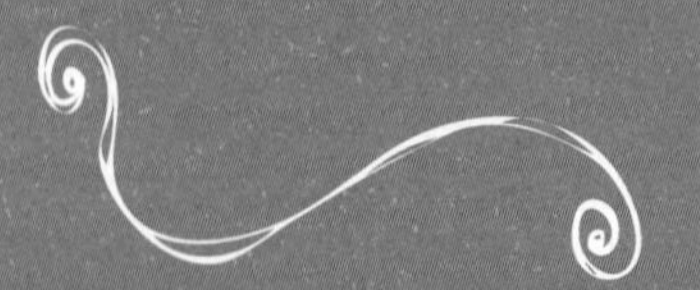

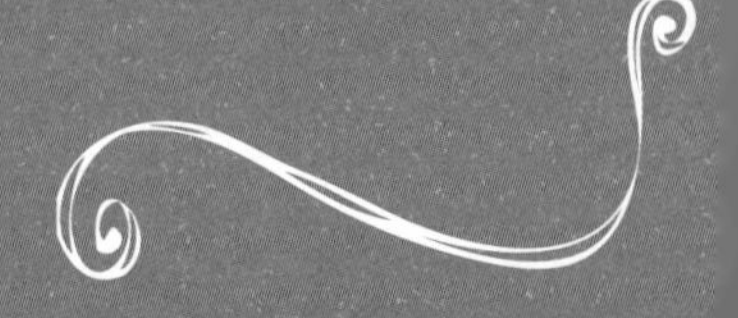

A tapioca chega assim, embrulhadinha no plástico, feita no maior capricho

enorme banner ou montar a sua própria versão com até seis tipos diferentes de ingredientes. "Fazemos no gosto do freguês", garante Cezar. A tapioca fica abafada por uma tampa durante algum tempo e depois é dobrada e servida em um prato, dentro de um saquinho plástico.

Quem olha uma barraca grande assim não imagina que Cezar começou há 16 anos com uma banquinha de apenas meio metro, onde servia apenas dois sabores diferentes. Hoje, inova ao rechear as tapiocas branquinhas, oferecendo dez tipos de queijo, diversos vegetais, vários embutidos e uma seleção que mistura qualquer um desses ingredientes com outro, digamos, inusitado: purê de batata. Para adoçar o paladar, as mais de trinta opções incluem frutas, doces caseiros de goiaba, abóbora, banana, ameixa, abacaxi e até rapadura.

Cearense, Carlos Cezar, o Cezinha, chegou a São Paulo

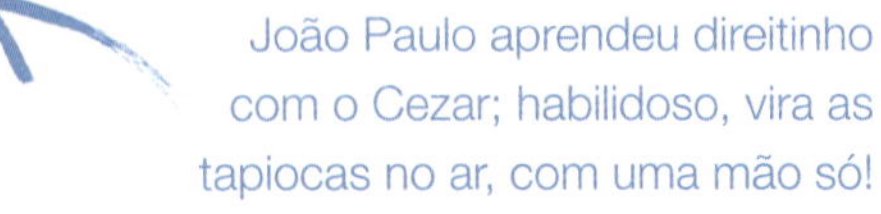

João Paulo aprendeu direitinho com o Cezar; habilidoso, vira as tapiocas no ar, com uma mão só!

em 1990. "Na minha terra eu arrancava toco na roça. Resolvi me mudar para fazer alguma coisa da minha vida", conta. No começo, trabalhou como ajudante geral de cozinha, lavando panelas, que segundo ele, "é o emprego de todo nordestino que chega na cidade".

O último trabalho antes de montar a barraquinha foi de porteiro em um prédio. Um dia, um colega chegou comendo uma tapioca e ofereceu um pedaço. Ele confessa que nem gostava muito da que sua mãe fazia quando era pequeno, com manteiga e sal. Mas, quando provou a tapioca de queijo do colega, adorou! Aproveitou a hora do cafezinho e foi até a feira comprar mais. Quando chegou lá e viu uma fila enorme para comprar o que uma mulher sozinha preparava comandando duas bocas de fogão, decidiu fazer um teste e vender tapioca na feira. Em três meses deixou o emprego de porteiro, fez um curso de especialização em manipulação de alimentos e

Cezar é muito sério com o trabalho que faz, mas se o dia estiver tranquilo e você puxar papo, ele é a simpatia em pessoa

outro de vigilância sanitária – essencial para quem quer trabalhar com comida de rua.

O banner que exibe os sabores também mostra uma foto do Cezar, segurando um prêmio de empreendedorismo do Senai. Ele conta que, depois de fazer todos os cursos, um dia a equipe da instituição fez uma visita surpresa à barraca para checar se ele colocava em prática tudo o que tinha aprendido. Cezar concorreu com mais de 70 pessoas e foi o primeiro colocado. Ele guarda, orgulhoso, a lembrança dessa grande vitória.

Cezar faz questão de ensinar tudo o que aprendeu no curso e durante a expansão do negócio aos ajudantes, Leandro e João Paulo. "Aqui é uma escola", afirma.

A próxima realização, Cezar se gaba, será preparar a maior tapioca do Brasil. Já fizeram uma de 50 cm, mas a dele terá 2 metros – um pouco maior do que a banquinha onde ele começou. •

Os ingredientes disponíveis são tantos que as combinações são praticamente infinitas... Sobrou um espacinho pra provar as tapiocas doces?

O quê
Tapioca

Onde e quando
Terça, praça da igreja Santo Antônio do Pari; quarta, praça Durval Figueiredo, Tatuapé; quinta, largo Nossa Senhora do Bom Parto, Tatuapé; sexta, biblioteca municipal, avenida Celso Garcia 4200, Tatuapé; sábado, praça Santo Eduardo, Vila Maria; domingo, Museu do Ipiranga

The Asian Father

Quando o assunto é comida de rua, o continente asiático de maneira geral é o campeão nos quesitos variedade e tradição.

Por aqui, parece que a receita do sucesso para abrir um negócio em um mercado emergente – e agradar o público – não é uma só (ainda bem!). Pensando nisso, com uma proposta diferente dos outros trucks que já existem na praça, Lucas Omelczuk criou o The Asian Father.

O nome é uma brincadeira com o filme clássico de Francis Ford Coppola, *O poderoso chefão* (em inglês, *The Godfather*), mas a culinária passa longe dos cannoli – ou de qualquer outra especialidade italiana. A kombi de Lucas é especializada em comida asiática – o que dito por si só não explica muito. "Pode ter culinária chinesa, japonesa, coreana, vietnamita... É muito abrangente e eu gosto de lidar com todas essas incríveis

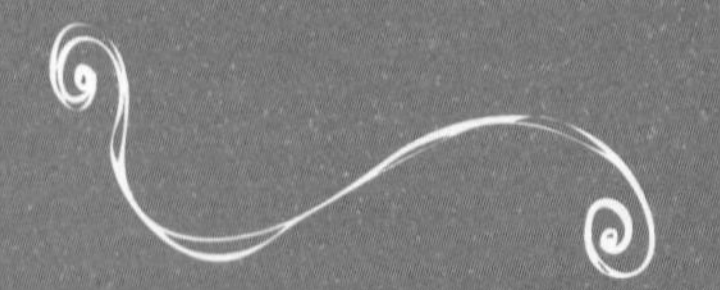

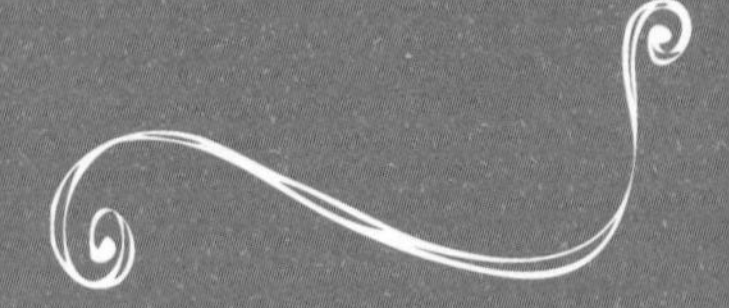

Pad Thai, receita tradicional tailandesa feita com macarrão de arroz e camarão possibilidades", explica ele, sobre um dos motivos que determinaram a seleção do cardápio.

O Pad Thai, um dos carros-chefe, é um prato tradicional da Tailândia, onde também é muito consumido na rua. A receita de Lucas leva frango, cebola roxa, broto de feijão, macarrão de arroz, molho à base de tamarindo e camarão. Normalmente o prato é bastante api-

A kombi, adaptada pelo próprio Lucas, ficou um charme

mentado, mas ele prefere deixar a ardência ao gosto do freguês.

Outro prato que faz sucesso é a carne com brócolis, especialidade chinesa que Lucas adora. São tiras de filé-mignon e cogumelos portobello e shimeji salteados com brócolis e tofu, servidas com molho de ostras e gohan, o arroz japonês. Mais tradicionais, o rolinho primavera de legumes com carne e o wonton, pastelzinho de massa fina e recheio de carne de porco, também marcam presença.

Da Indonésia vieram os sabores que inspiraram o espetinho de camarão, berinjela, batata-doce e cebola roxa, empanado e servido em dupla com chutney de manga e limão-siciliano. Crocantes e saborosos, são fáceis de comer e uma ótima pedida.

Por fim, para quem quer algo mais leve ou mais conhecido há o temaki de salmão, que também pode ser servido na versão roll – empanado por inteiro em farinha panko e frito por imersão até ficar com uma casquinha crocante.

Além do cardápio, a kombi também chama atenção pelo visual, que mantém as características originais do veículo e tem, na lateral, um adesivo com o nome estampado na mesma tipografia do clássico cinematográfico.

O investimento inicial não foi muito alto, e, para poupar ainda mais, Lucas e seu pai foram os responsáveis pelas transformações no veículo. Levaram a kombi até a oficina de um amigo, pediram as ferramentas emprestadas e colocaram as ideias em prática. “A gente não entendia nada, mas foi perguntando, quebrando a cabeça, pesquisando. Não vou dizer que é fácil, mas não é impossível.”

Em apenas três meses de funcionamento, recuperaram o investimento. Aliás, as vendas andam tão boas que Lucas resolveu expandir os negócios – comprou uma segunda kombi, que começa a rodar em breve. Ele diz que não vai buscar inspiração em outro sucesso hollywoodiano – pretende manter o tema, ainda que mude o cardápio. Acho ótimo e fico na torcida para que São Paulo leve sua reputação de representar a culinária do mundo todo também para as ruas. •

Lucas não gosta muito de foto e até faz cara de sério, mas ao vivo... é outra história

Vanidog, o dog dos sonhos

Um cachorro entre duas fatias de pão: foi assim que, pela primeira vez, no início do século XX, um cartunista representou o sanduíche que consiste em uma salsicha – ou linguiça – encaixada confortavelmente em uma baguete. Hoje, o lanche é conhecido no mundo todo – o que se deve, em grande parte, aos famosos carrinhos de cachorro-quente estadunidenses.

Parece que agora é bacana usar a expressão "muito além do hot dog", impressa em tantos lugares. De fato, a comida de rua está crescendo em São Paulo e de uns tempos para cá está, inclusive, fugindo daquilo que tradicionalmente encontramos nas barraquinhas. Ainda assim, não é incomum ver gente se aproximar de uma barraca ou food truck e logo perguntar: "Tem dogue?"

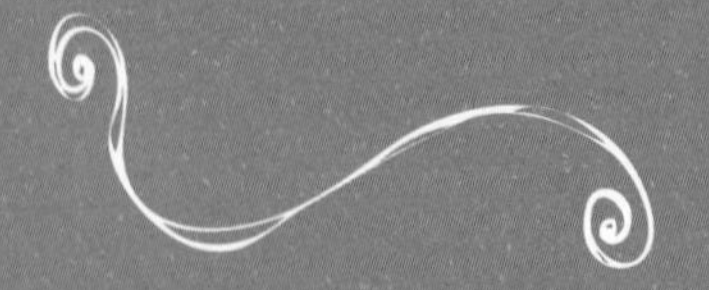

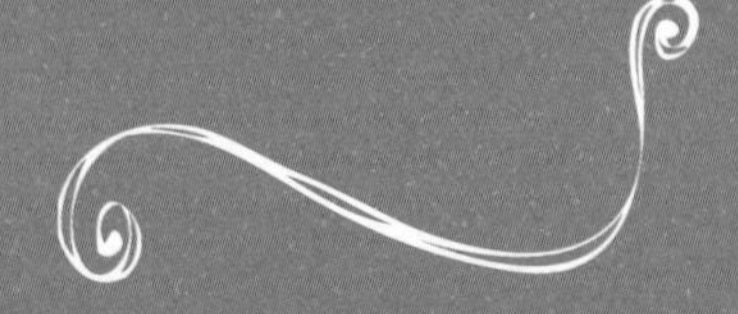

Dogão, cachorro-quente, prensadinho: o nome pouco importa, certo?

A montagem é muito rápida, mas dá para escolher os ingredientes todos e deixar o lanche com a sua cara

Podemos ir muito além do cachorro-quente, sim, mas ele continuará sendo uma pedida frequente entre as comidas de rua da capital paulista. E, como tal, não poderia ficar de fora deste guia. Saí, então, em busca de um dogueiro motorizado que pudesse recomendar. Daqueles que a gente sabe que, mesmo simples, fazem o lanche no capricho, um dogue que a gente tem ganas de comer quando está voltando pra casa no fim do dia ou depois de uma noite no bar.

Após uma pesquisa baseada em várias indicações, selecionei com muito amor e carinho o Vanidog – O dog dos sonhos, aquele que é do jeitinho que você sonhou, montado de acordo com o que você gosta.

Fica na Vila Madalena a kombi de cachorro-quente mais organizada que você já viu. O dinheiro, eles recebem com a ajuda de uma bandeja e um pegador, usados para evitar o contato das mãos com as cédulas. O cardápio e as fotos ajudam a escolher, mas sempre é possível montar um lanche com a sua cara, um ingrediente a mais ou outro a menos – basta pedir para o Zica ou para a Vani que eles fazem.

Conhecidíssima dos frequentadores mais antigos da região, a barraquinha herdou sua fama da proprietária, que mora ali há mais de 30 anos. Ivanir Soares de Araújo é quem dá nome ao Vanidog. Estacionada na Fradique Coutinho, entre as ruas Aspicuelta e Inácio Pereira da Rocha, a kombi faz sucesso no bairro servindo um lanche sem firulas.

Seu negócio foi um dos poucos que permaneceu no mesmo local após a passagem de Gilberto Kassab pela prefeitura de São Paulo. "Quando ele entrou, foi bem na época em que eu tinha feito o pedido de alvará. O próprio chefe de apreensão me orientou. Ele falou: 'Vani, vai rápido, tira todos esses documentos, porque o prefeito mandou tirar todos os dogueiros da rua. Não vai sobrar um!'", conta. Ela se considera uma sobrevivente.

É claro que essa não foi a única dificuldade que Vani teve de enfrentar desde que decidiu montar seu próprio negócio. Após deixar seu último emprego formal, em 1991, por causa de um gerente machão, começou a vender sanduíches pelas ruas da Vila para se sustentar. "Aqueles lanchinhos me salvaram", conta. "Percebi que, às vezes, o desemprego nada mais é que uma oportunidade para criar uma estrutura."

E a primeira estrutura de Vani foi uma engenhoca, construída usando o carrinho de duas malas de rodinha. Ela montava os sanduíches com ingredientes frescos, em sabores como rúcula com tomate seco e queijo branco, e saía vendendo pelo bairro. Era muito cansativo, mas foi dando tão certo que ela resolveu tomar coragem para dar o próximo passo. "Fui no banco pedir dinheiro emprestado e montei a kombi. Já comecei com um movimento excelente, por conta dos que conheciam meu lanche e vinham me procurar quando descobriam que eu tinha ponto fixo."

Esse mesmo sucesso faz com que, hoje, saiam cerca de 300 dogues por dia aos fins de semana,

O espaço pequeno faz sucesso durante as madrugadas. Mesmo se houver fila, os funcionários treinados por Vani são rápidos e ninguém sai com as mãos abanando

além de X-salada e um sanduíche de carne louca feito no capricho. "Parece que é pouco, mas é muito pão", brinca.

Vani faz compras semanais porque não gosta de estocar produtos perecíveis. A cada ida ao mercado, volta com quase mil salsichas. Ela conta que gosta de levar sempre da mesma marca e que quando não encontra tem que ir buscar em mercados mais distantes. "Se vou trabalhar com salsicha, precisa ser de uma marca boa, que o pessoal conhece bem", diz.

O purê de batatas, seu diferencial, é feito artesanalmente: descasca a batata, cozinha a batata, corta a batata, amassa a batata. "Dá muito trabalho, mas por outro lado é muito gratificante, porque é bem mais saboroso." Além disso, ele pode ser gratinado na chapa, criando uma casquinha crocante por cima. Dizem por aí que ele existe apenas para dar um fim à rixa que divide os estados brasileiros: cachorro-quente com purê é muito mais gostoso – especialmente se for o da Vani.

Outro toque especial de seu cachorro-quente é o molho de carne, que está em todas as versões do pedido, pincelado nas duas fatias de pão. "É aquele toquezinho a mais que a gente dá no dogue, um molho bolonhesa só que um pouco mais condimentado, muito mais saboroso." Para não ficar enjoativo, a gente põe só um pouquinho. "No calor da chapa, dá um sabor especial ao lanche", revela.

Fora os detalhes caprichosos, o cachorro-quente da Vani não tem nada de gourmet – afinal, sejamos sinceros: na hora da fome, precisa mais do que um pão fresquinho, um purê de batatas (de verdade!) e uma salsicha de origem confiável? •

O quê
Cachorro-quente

Onde
Rua Fradique Coutinho, na altura do nº 983 (em frente a um estacionamento), Vila Madalena

Quando
Todos os dias, a partir das 17h

Moradora da Vila Madalena há anos, Vani é apaixonada pelo bairro onde mora e trabalha

Outras gostosuras

A oferta de comida de rua na cidade de São Paulo é imensa, como já deu para perceber. Não dá para listar tudo, mas os capítulos anteriores foram pouco para tanta coisa boa que encontrei. Se você quiser ampliar essa lista com suas dicas, compartilhe nas redes sociais com a hashtag #ComiNaRua. Vou adorar!

13 Truck

O carro laranja e moderninho do 13 Truck foi adquirido em 2012 pelos irmãos Marcus e Bruno Mester, que tinham a ideia de servir pizzas em eventos empresariais. Depois de algum tempo trabalhando no ramo, quando o projeto de lei para regulamentar a comida de rua começou a fazer barulho na Câmara dos Vereadores, Marcus achou que seria uma boa ideia se preparar para ir às ruas, mas com um cardápio diferente.

A parceria para a empreitada ficou completa com os amigos Miguel Caldeira e David Hamermesz, que já trabalhavam com eventos de catering, tinham uma cozinha central "e uma comida muito boa", conta Marcus. Juntos, chegaram ao conceito de sanduíches artesanais. A ideia é que tudo fosse feito com o maior cuidado, que os pratos ficassem com um preço acessível e que a porção fosse de um tamanho bom e um sa-

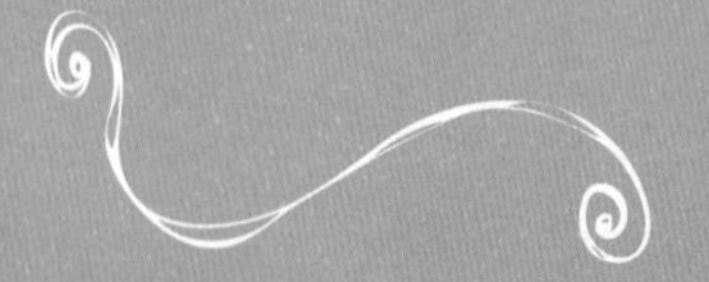
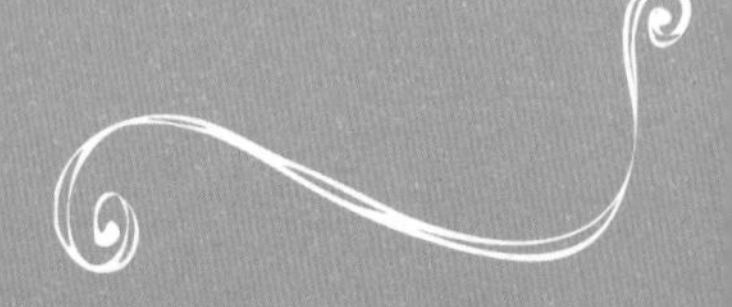

O sanduíche de salmão com rúcula e cebola roxa me conquistou na primeira mordida

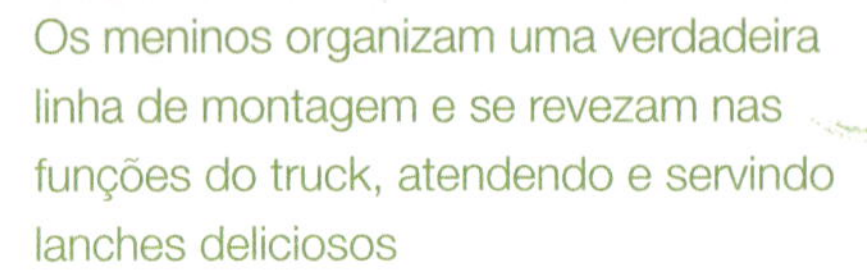

Os meninos organizam uma verdadeira linha de montagem e se revezam nas funções do truck, atendendo e servindo lanches deliciosos

bor incrível. Exigentes, pensaram em tudo. “Nossos pães, por exemplo, são todos redondos, para uma mordida conter todos os ingredientes e, ao mesmo tempo, ser fácil de comer”, resume Marcus.

O primeiro sanduíche que ofereceram foi o de pernil. Em pão macio de cenoura, a carne, cozida por três horas, é desfiada e servida acompanhada de maionese verde da casa com salada cole slaw à base de iogurte. Como seu preparo é mais trabalhoso, não é sempre que está disponível.

Outro que surge ocasionalmente – mas faz muito sucesso quando aparece – é o de rosbife caseiro no pão ciabatta, com relish de pepino, tomate defumado, maionese de manjericão e queijo derretido.

Sempre disponível, o sanduíche de salmão é o meu preferido. Montado no pão australiano levemente adocicado, o peixe defumado é coberto por cream cheese temperado com dill, rúcula, cebola roxa e gotas de limão-siciliano espremido na hora.

Outro que marca presença constante é o de caponata italiana (feita com berinjela, pimentões coloridos e uva-passa) com cream cheese e rúcula – ótima opção para os vegetarianos.

Aquecidos na hora, os pães ficam levemente crocantes e quentinhos, e todos os lanches são acompanhados por um punhado de chips de mandioquinha feitos por

O 13 Dog é um dos queridinhos de público e de crítica. Já tinha visto um cachorro-quente no pão australiano?

um casal de colombianos. "A gente achou que ficava mais simpático oferecer os chips do que cobrar pela porção à parte", explica Marcus.

O cachorro-quente – que afinal de contas é um sanduíche – também está na lista de delícias do truck. Uma das receitas preferidas é a do 13 Dog, montado em um pão australiano comprido – feito exclusivamente para o truck –, com salsicha frankfurter, que mistura carne bovina e suína, coberta por queijo cheddar e cebola caramelizada. E aí, já ficou com água na boca? •

Marcus serve sanduíches artesanais deliciosos, que refletem os cuidados que a equipe do truck tem com a qualidade e o frescor dos ingredientes

O quê
Sanduíche

Onde e quando
Itinerante; ver facebook.com/13truck

Cozinha com Z

O grande truck de Zeca Amaral vai na contramão da onda americanizada da comida de rua em São Paulo. Esse baiano, formado em Brasília e radicado na capital paulista, mistura comida de todas as regiões do país ao som de muito chorinho e sem nunca abrir mão de seu chapéu-panamá.

"Entrei nesse mercado por um sonho. Fui executivo de empresas, mas sempre amei cozinhar", conta. Resolveu mudar de vida. Formou-se em gastronomia, especializou-se em culinária brasileira e passou a trabalhar como personal chef. A paixão pela vida itinerante surgiu quando ele trabalhou na Caravana Nissin, uma ação regional da Nissin-Ajinomoto que, em 100 dias percorreu 30 cidades em 6 mil quilômetros de estrada no interior baiano.

Durante o tempo em que passou literalmente na estrada, Zeca

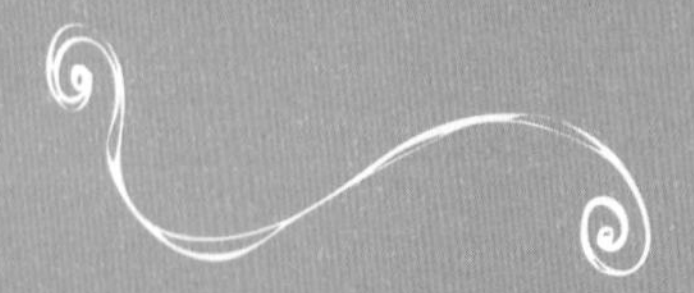

Salpicão de carne-seca com leite de coco: comida brasileira que foge do óbvio

A trilha sonora do truck (ao lado) acompanha a brasilidade de pratos como a carne-seca com purê de abóbora com canela (acima)

cozinhava em barraquinhas erguidas como parte do projeto e elaborava receitas de miojo com os ingredientes de receitas típicas como o feijão-tropeiro, a moqueca e o arremate de sururu. Nessa brincadeira, Zeca enxergou uma possibilidade muito bacana e, quando voltou para São Paulo, montou o truck para servir esses e outros pratos aos paulistanos. Sem o miojo.

Zeca gosta de preparar a cozinha simples do dia a dia, que ele chama de "comida de mãinha", e dar seu toque de chef, deixar, como ele diz, "chique no último". São duas, no máximo três, especialidades por dia, com opções como carne-seca preparada na cerveja preta ou linguiça flambada na cachaça, além de versões de purê diferentes: abóbora com canela, mandioquinha com queijo, batata-doce com castanha de caju e mandioca com castanha-do-pará. "Todo dia brinco de homenagear algum lugar", diz. Pelo que vi, o Brasil inteiro está muito bem representado. •

Cozinha com Z, de Zeca, o cara que usa bons ingredientes para mesclar comida de casa com técnica de cozinha profissional

O quê
Comida brasileira

Onde e quando
Itinerante; ver facebook.com/CozinhaComZ

Holy Pasta Food Truck

Adolpho Schaefer, Paulo Ribas, Guilherme Alves, Rodrigo Vessoni, Cristiano Nascimento e Cassiano Moreira sempre trabalharam no ramo de alimentos e bebidas, embora nenhum deles tenha formação específica na área. Mas se falta o diploma, sobra paixão e entusiasmo, o que foi suficiente para que eles se decidissem a montar um food truck. Desde fevereiro de 2014, os seis amigos estão no comando do truck Holy Pasta, especializado em macarrão.

"Como a gente sempre trabalhou fazendo comida e vendendo comida, foi natural escolher algo que faz parte da nossa vida", conta Adolpho, que foi o autor da ideia. Ele era viciado no programa televisivo *Eat Street*, da Fox, que mostrava alguns dos mais caprichados food trucks americanos. "Isso aí me contaminou. Assistia com a minha mulher e nós

Além das massas, vale muito provar a almôndega caseira, seja no prato ou no sanduíche

O clima na kombi é roqueiro, mas o ambiente é eclético – tem para todos os gostos

dois ficávamos babando em frente à TV, que nem cachorro e frango de padaria", lembra.

Quase ao mesmo tempo, Guilherme estava prestes a abrir uma franquia de uma marca conhecida entre os food trucks para vender massas, e Cassiano estava viajando pelo exterior e a única coisa que atraía o olhar de sua máquina fotográfica era a comida de rua, cujas imagens eram enviadas a torto e a direito para os amigos no Brasil. Mas foi Rodrigo quem ligou os pontos e sugeriu que eles fizessem uma sociedade. Em outubro de 2013 bateram o martelo – mesmo sem saber ainda o que iriam vender.

Adolpho queria abrir um negócio mais fiel ao estilo americano de comida de rua. "Meu sonho era abrir um truck com comida daquele tipo que não dá nem pra morder nem pra segurar", brinca. Quando, porém, os amigos escolheram as massas, ele embarcou de bom grado na vontade da maioria. "Fui um voto vencido naquela etapa do projeto, mas nem liguei."

Tendo o cardápio definido, partiram para a montagem do carro, que precisava ser prático. "Decidimos que as massas seriam pré-cozidas. Era escaldar o macarrão, puxar no molho e servir. Simples assim", revela Adolpho. Os sócios escolheram um local em Guarulhos para fazer a adaptação da kombi e, enquanto isso, davam o próximo passo: as massas.

"Fechamos a parceria depois de várias degustações", conta Adolpho. Foram testados oito fornecedores de todas as faixas de preço até selecionarem o Pastifício Primo. "Foi o melhor, o que todos nós gostamos mais."

O Holy fez a sua pré-estreia em clima de carnaval, acompanhando um bloco chamado Casa Comigo. "Saímos só com um sanduba que o Cristiano inventou e com cerveja, para sentir a logística", lembra. Depois de três fins de semana seguidos nesse esquema, os sócios definiram uma data para inaugurar na rua, com as massas de fato.

A cada dia, o truck oferece seis opções de massa, de um total de dez receitas que compõem o cardápio. O mais pedido é o nhoque à bolonhesa e faz sucesso o capelete de carne. Há também opções mais sofisticadas, como o ravióli verde de ricota com nozes e o de cordeiro com molho pomodoro.

O diferencial fica por conta dos molhos, que hoje são preparados na sede, na rua Rodésia, na Vila Madalena. Quem cuida da cozinha por lá é Felipe Oliveira Sicchierolli. Formado em gastronomia, antes ajudava no truck, mas hoje em dia fica no ponto fixo da trupe, desenvolvendo os molhos e até criando sanduíches.

Sim, o truck tem quatro tipos de lanche, sendo uma opção vegetariana. Curiosos são os nomes escolhidos. O Sanduíche do Vagabundo é preparado com carne selada e um pouco de molho de tomate – uma espécie de carne louca, creme de queijo Catupiry e gorgonzola; bem simples, é montado no pão francês. O Sanduíche do Cafajeste, um dos que mais saem, é feito com almôndegas caseiras, vinagrete e o mesmo creme de queijo, montado em uma baguete. O Sanduíche do Ordinário leva ragu de linguiça, relish de cebola roxa, rúcula e ricota temperada. Por fim, mas não menos gostoso, o Veggie tem o mesmo vinagrete de um e a ricota do outro, e fica completo com agrião e uma redução de melaço de romã. Diariamente, dois deles estão disponíveis.

Adolpho lembra que, no começo, a maior dificuldade era encontrar um local para estacionar. Como a kombi não precisa de fonte de energia externa, eles rodavam bastante e se aventuravam pela cidade afora. "Na época nem lei tinha! Quebramos a cara um monte. A gente encostava o carro e ficava só nós e os grilos", diverte-se Adolpho. Hoje os dias de pouco movimento são página virada. O truck é um sucesso e já deu filhotes como o Holy Ice Cream, especializado em sorvetes.

O carro, aliás, é uma extensão da personalidade dos sócios, que levam o rock'n'roll na veia e diversas tatuagens na pele. "Em nenhum momento pensamos em dar o logo para uma agência

Massa verde ao molho pesto é só uma das opções do truck, que aposta em molhos caprichados

de publicidade fazer. Entregamos a ideia nas mãos do Mauro Landim, que é o tatuador do grupo, e ele captou a nossa identidade", explica Adolpho, que conta que nenhum dos sócios tatuou o logo – o desenho de um cachorro bravo e o número 13 tatuado em mãos em oração. "Quem tem que carregar a tatuagem para lá e para cá é o truck."

Qualquer um que chegue ao truck para fazer uma boquinha, vai encontrar cozinheiros com pinta de bad boy e alto-falantes tocando som hardcore. Mas o estereótipo para por aí, porque todos os sócios são uma simpatia e atendem o público sempre com um sorriso no rosto. E, se me permite o trocadilho, a comida é realmente boa, de comer rezando. •

O quê
Macarrão, sanduíches e sorvete

Onde e quando
Itinerante; ver facebook.com/holypastafoodtruck

Adolpho, um dos responsáveis por colocar o Holy Pasta para rodar, espalhando molho, massa e rock'n'roll pelas ruas da cidade

La Buena Station

La Buena Station é o nome que foi dado ao food truck do La Buena Onda, restaurante mexicano que existe desde 2009 no bairro do Tatuapé, zona leste de São Paulo. "A gente sempre curtiu essa pegada de comida de rua. Depois que o restaurante se consolidou, em vez de abrir uma segunda unidade, resolvemos investir mais fundo nessa linha", conta Arturo Herrera, chef e proprietário.

Natural da Cidade do México, Arturo se mudou para São Paulo em 2001 para gerenciar uma rede de franquias de comida mexicana. Ficou por quatro anos no emprego, conheceu a mulher, brasileira, teve filhos, montou negócio próprio e resolveu ficar por aqui.

O projeto do food truck nasceu em 2012, mas o carro amarelo decorado com lutadores de *lucha libre* começou a rodar só em março de 2013. Para tirar a ideia do papel,

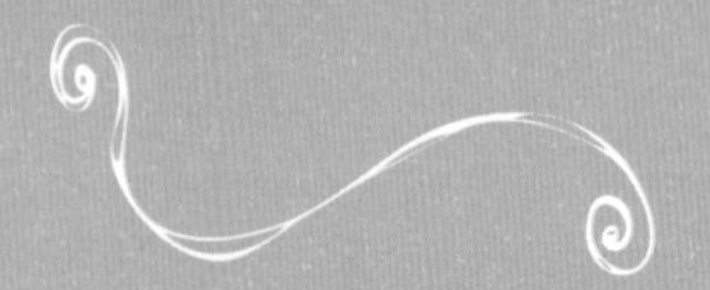

Taco de carne feito na medida da sua mordida

Em vez de abrir as portas de uma nova unidade, o La Buena se antecipou à onda e inaugurou a versão Station

Arturo usou tudo o que aprendeu em viagens de pesquisa ao México e aos Estados Unidos. "Olhei o que estava acontecendo por lá e pensei: isso não vai demorar a chegar a São Paulo. Dito e feito."

O truck mistura espanhol, português e inglês para refletir a diversidade do cardápio, que serve comida tex-mex, termo usado para representar a fusão da cozinha mexicana com a americana, muito comum nos estados do Texas e da Califórnia.

Os pratos mais pedidos são os burritos, uma massa fina de tortilha de trigo recheada com frijoles refritos (uma espécie de pasta de feijão típica do México), alface, queijo prato e mozarela, e opções de recheio como frango, carne, chili e, ocasio-

nalmente, porco, tudo montado na hora.

Além das quesadillas com vegetais, uma boa pedida são os tacos, muito práticos de comer. Eles são montados com cuidado em uma casquinha crocante de chips de milho, com tanta precisão que não quebram nem derramam recheio pelos lados. Dentro, a mesma pasta de feijão, alface e queijo, com vegetais, frango ou carne moída temperada à moda mexicana.

Por fim, para quem tem mais fome, recomendo a porção de nachos, que é bastante completa. O chili é servido com chips de milho e recoberto por guacamole, queijo cheddar, sour cream, jalapeño e pico de gallo, um vinagrete mexicano clássico feito com tomate, cebola, coentro e limão. •

O quê
Comida tex-mex

Onde e quando
Itinerante; ver facebook.com/labuenastation

Arturo e seu taco três em um: mexicano, brasileiro e americano

La Polenta Food Truck

"Os legionários romanos consumiam um alimento denominado *pultem*, que consistia em grãos de farro esmagados, cozidos com água e temperados com carnes e queijos. Com a introdução do milho na Europa, no século XV, pelos espanhóis, a polenta passou a ser feita da farinha do milho e tornou-se um dos principais alimentos das regiões de Veneza e de Friuli, no norte da Itália." Impressa e adesivada no enorme food truck amarelo que, por enquanto, fixou base no Butantan Food Park, essa é a história por trás do La Polenta, um truck especializado em um prato que é a tradução de comida reconfortante.

A sintonia que a gente observa entre os membros do La Polenta se deve o fato de a equipe já ter trabalhado junta em um restaurante na rua dos Pinheiros, zona oeste da capital. Quando Alex

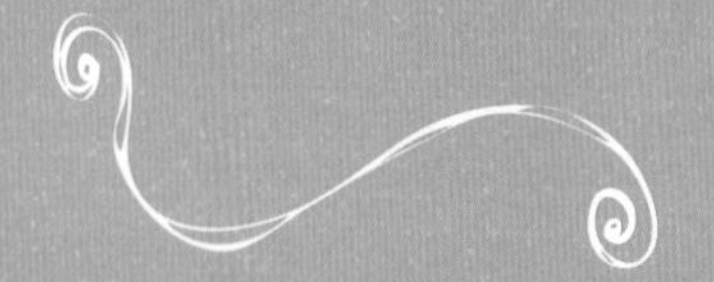

Comida de rua também pode ser caseirinha como uma polenta com carne de panela

A colherada perfeita reúne todos os ingredientes; está servido?

Righi desfez a parceria que tinha com os outros sete sócios do local, reuniu a equipe e literalmente foi para a rua.

No início de 2013, veio o convite para participar de um projeto alinhado ao Butantan Food Park (ver página 245), que na época ainda não havia inaugurado. O plano inicial foi vender a carne de panela de Vanilda Abreu, que já fazia sucesso no restaurante. Como o enorme trailer amarelo demorou um tempo para ficar pronto, entre maio e setembro a turma trabalhou em uma barraquinha que não tinha nome, mas já havia garantido seu espaço no cenário da comida de rua paulistana.

Foi testando os melhores acompanhamentos para a carne preparada por Nilda que o grupo percebeu que a opinião (e os elogios) dos clientes tinham quase sempre o mesmo destino: a com-

Se quiser chamar os amigos, o truck tem porções fáceis de dividir binação com a saborosa polenta. Foi assim que perceberam que a receita simples poderia alcançar o status de prato principal do truck. Hoje, os clientes podem optar entre a polenta cremosa com ragu (a mesma receita da carne de panela), com cogumelos, com calabresa toscana ou com vegetais (cebola, tomate, berinjela e abobrinha), além da polenta frita e do bolinho de linguiça.

Segundo Alex, o prato faz a ponte entre a tradição da culinária italiana e a hospitalidade de uma São Paulo que recebeu de braços abertos os imigrantes. "Tudo isso, somado ao amor pela cozinha reconfortante, foi a inspiração para o nosso negócio", resume ele. Tenho certeza de que a nonna aprovaria. •

O quê
Polenta

Onde e quando
Itinerante; ver facebook.com/lapolentafoodtruck

O enorme food truck do La Polenta em breve terá a companhia de outras unidades da marca

Massa na Caveira

Gosto muito da expressão "comida de vó". O mais legal é que, para cada um, ela significa uma coisa diferente. Pode ser uma bela macarronada, um arrozinho com feijão, um doce de banana ou uma fornada de biscoitos – tudo depende da especialidade de cada avó. No caso de Raphael Corrêa, "comida de vó" é sinônimo de pizza.

O rolo de macarrão que ele leva tatuado no braço e que aparece no logo de seu food truck existe de verdade e pertence à dona Valmira, a vó Mira. A matriarca usava o utensílio para abrir as massas das redondas nos encontros de família, que aconteciam ao menos uma vez por mês. Juliana Moreira, amiga de infância e hoje sócia de Raphael, também frequentava os eventos e era fã da pizza. Quando os dois pensaram em abrir um food truck, definir o produto foi a parte mais fácil.

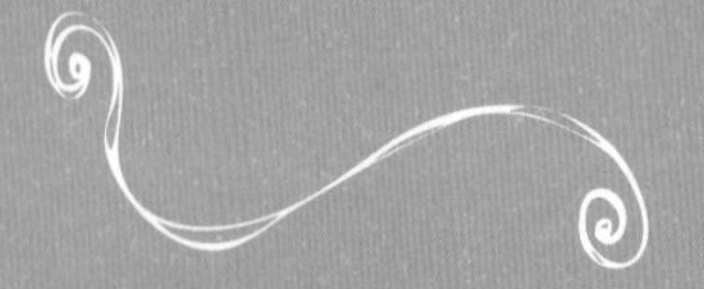
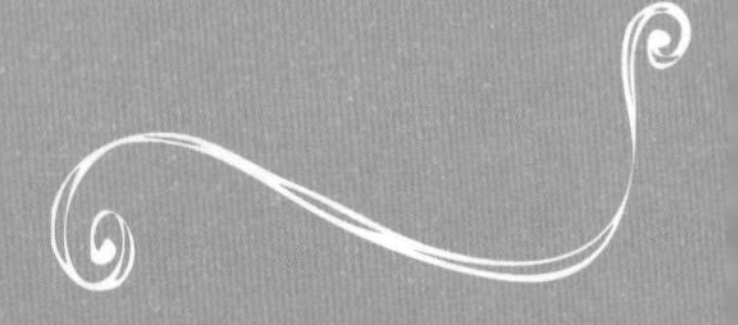

Procurando uma boa pizza para comer na rua? Missão dada, parceiro, é missão cumprida

Ela, formada em administração e gastronomia, trabalhava como diretora financeira de uma empresa. Ele, formado em marketing, era publicitário e lidava com planejamento. Sempre antenado em tendências de mercado por causa da profissão, identificou cedo o bom momento da comida de rua em São Paulo.

"A gente queria dar uma virada na vida profissional com algo que desse mais tesão no dia a dia do trabalho", conta. Os dois aproveitaram então a sacada e se anteciparam para sair às ruas. Em seis meses tiveram a ideia, adaptaram a kombi 1984 e começaram a rodar em março de 2013.

"O Brasil é o maior consumidor de pizzas no mundo! Como

Bonitinha e bem-acabada, a kombi foi reformada para receber o forno e estilizada para ficar com a cara dos proprietários

cidade, São Paulo perde apenas para Nova York, e o Rio está em terceiro", contam. Por isso a empolgação também é grande. Pretendem inaugurar um novo carro em janeiro e também planejam palestras, aulas e workshops para o próximo ano. "Queremos contar histórias e promover a pizza."

A kombi fica estacionada na avenida Brás Leme, zona norte da capital paulista, em um ponto fixo que pleitearam na subprefeitura de Santana, bairro onde fica a cozinha que serve de base para a dupla. Lá, Juliana comanda tudo. Na rua, quem gerencia é Raphael. E assim vão dividindo o trabalho – que, apesar de ter mudado radicalmente desde os tempos de escritório,

Diversas opções de sabores se revezam no cardápio, sempre com combinações bacanas e ingredientes fresquinhos

não diminuiu. Aliás, muito pelo contrário.

Semanalmente vendem cerca de 800 pizzas. São sempre cinco os sabores disponíveis, que mudam conforme a ocasião, o clima e os produtos disponíveis no mercado. Entretanto, não podem faltar os preferidos do público: calabresa e abobrinha.

A primeira leva também cebola roxa, pimenta dedo-de-moça, mozarela e cebolinha. A segunda, além do vegetal fatiado, recebe cream cheese, queijo parmesão e salsinha. A base das duas é um molho de tomate delicado, que leva o fruto e nada mais. “Nem sal, nem azeite”, garante Raphael.

De tão importante, a massa está até no nome do truck porque é o diferencial. Fininha e crocante, segue a receita da vó Mira. Raphael revela o segredo: “Muitas vezes usam água e ovo para fazer as massas tradicionais. A gente coloca um pinguinho de óleo para

Fininha, crocante e saborosa: bons adjetivos para resumir e descrever a pizza

dar a liga e leite, que é o ingrediente que deixa ela assim."

A cada mordida, tudo isso fica evidente: o equilíbrio entre a massa fininha e crocante, a delicadeza do molho de tomate e a cobertura, sem exageros. É claro que, quando o assunto é pizza, cada um tem sua preferência: massa fina, pizza-pão, de frigideira, com massa grossa, bordas com recheio e uma infinidade de opções... Mas recomendo muito que você experimente esta – garanto que não vai se arrepender. •

O quê
Pizza

Onde e quando
Itinerante; ver facebook.com/massanacaveira

Raphael e sua avó Mira, a dona da receita de massa que faz tanto sucesso no truck. A avó é dele, mas a sorte é nossa!

Só Coxinhas Food Truck

A origem da coxinha, como acontece com frequência no mundo da gastronomia, é um tanto nebulosa. Há quem diga que ela derivou de salgados europeus; outros, que era uma receita de escravos. Diz-se até mesmo que as primeiras coxinhas teriam sido preparadas por índios da região Norte do Brasil. A versão mais aceita, porém, relata que ela nasceu em São Paulo mesmo, onde é tão popular. Mais precisamente, na fazenda Morro Azul, em Limeira.

Frango era a comida preferida do filho da Princesa Isabel e do Conde D'Eu, que vivia afastado da corte, no interior, por problemas mentais. Mas o garoto não comia a ave toda – apenas a coxa. Um dia, por não ter mais coxas de frango para servir, a cozinheira da família resolveu desfiar a carne do peito e com ela rechear uma massa de farinha de trigo.

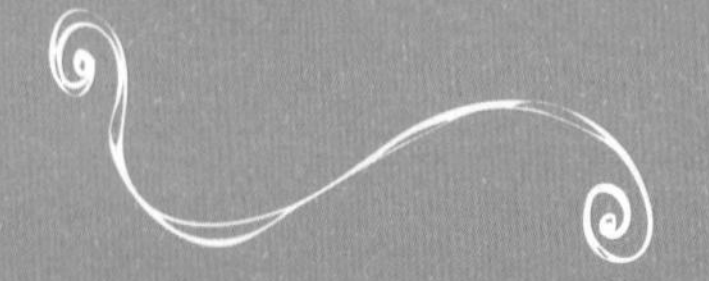
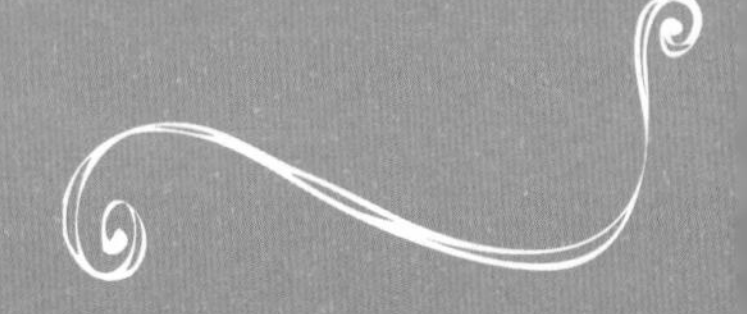

Servidas num simpático copinho, as coxinhas em versão miniatura são ideais para dividir

Na kombi adaptada, a equipe de funcionários frita os salgados na hora

Pronto: teria, assim, nascido a coxinha que conhecemos hoje.

Tem razão quem diz que a coxinha é o salgado preferido dos moradores da capital paulista. Recentemente uma pesquisa Datafolha comprovou que, seja na hora da fome ou por pura gulodice mesmo, entre todos os salgados, 34% dos paulistanos escolhem a coxinha. Em segundo lugar, caso você tenha ficado curioso, está a esfirra, com apenas 12% da preferência.

Há pouco tempo – nesta era de memes da internet –, a coxinha passou de salgado de festa infantil a gíria para denominação de tipo social. Tem até quem considere a adoração pelo quitute uma religião!

Sua anatomia é bem simples: casquinha crocante, massa saborosa, recheio de frango bem temperado e a proporção exata de requeijão cremoso, de preferência da tradicional marca Catupiry. Puristas dirão que é isso, e fim de papo; que qualquer coisa recheada com outros ingredientes não é coxinha. Mas o food truck

O logo inconfundível da marca: uma coxinha malandra e bem paulistana

Sem preconceito: de frango com catupiry (ao lado) para os puristas e a versão com Nutella (acima) para quem gosta de uma gordice

Só Coxinhas veio para provar que o preconceito não está com nada.

Os sócios Juliana Caltabiano e João Victor Curial estavam cansados do trabalho formal em grandes empresas e resolveram se dedicar a um negócio próprio. João queria montar um food truck. Juliana queria abrir uma loja para vender as deliciosas coxinhas feitas por sua sogra. Uniram as duas vontades e assim nasceu o primeiro truck dedicado a esse salgado tão amado.

O grande segredo deles é a receita de dona Míriam, de 77 anos, que prepara coxinhas há mais de quatro décadas. Hoje dá conta de produzir diariamente, com a ajuda de uma máquina que ganhou dos sócios, cerca de 12 mil minicoxinhas. Disponíveis nas versões tradicionais de frango e em sabores diferentes como queijo, nutella e doce de leite, são servidas em copinhos com 8 ou 16 unidades.

Fritas na hora, crocantes por fora e molhadinhas por dentro: assim são as versões salgadas. Para sobremesa, as opções são açucaradas na medida certa, feitas com uma massa semelhante à de outro quitute querido, o bolinho de chuva. Na minha modesta opinião, o truck é uma homenagem à altura de um quitute tão emblemático. •

O quê
Coxinha

Onde e quando
Itinerante; ver facebook.com/socoxinhasfoodtruck

Tchicano Ai Ai Ai

Difícil dizer quando é que tem mais gente andando pela avenida Paulista: se é durante a semana, quando os engravatados saem de seus cúbicos escritórios para engolir um almoço rápido, ou se é aos domingos ensolarados, quando o asfalto abre espaço para os ciclistas e as calçadas são tomadas pelas feirinhas de artesanato e antiguidades.

De um lado, o vão livre do Museu de Arte de São Paulo, o Masp, com suas barraquinhas enfileiradas de coisas perdidas no tempo e no espaço. Do outro, à sombra das árvores do Parque Trianon, vendedores de quadros, ímãs de geladeira, artigos de couro e comida, claro.

Entre tantas especialidades que já vi, meus olhos brilham com uma barraca: comida mexicana, uma das minhas preferidas. Os aromas se confundiam um pouco com o cheiro de fritura e azeite de dendê do acarajé ao

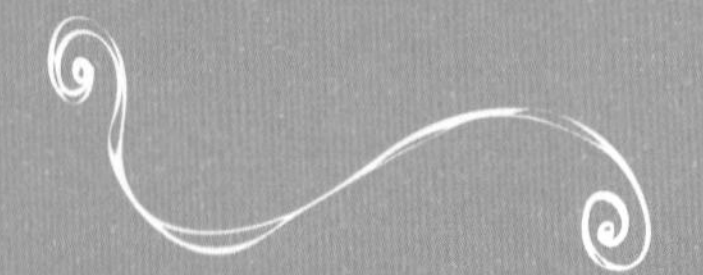

No meio da Paulista, um burrito para chamar de seu

lado, mas El Mariachi ao fundo não me deixou dúvidas, e botei fé nos cozinheiros de bandana.

Primeiro, provei um burrito. Gostoso! Achei que era seguro ir adiante e experimentar o chili no prato. Um pouco diferente do que faço em casa, talvez falte alguma coisa... Ah, é claro: a pimenta que, em respeito ao paladar alheio, eles só colocam se o cliente pedir.

Os pratos servidos no Tchicano Ai Ai Ai são adaptados do tex-mex, uma variação americana da comida feita no México. O cara por trás dos fogões é Ricardo Viola, uma daquelas figuras que a gente vê nos filmes: roqueiro tatuado que largou o emprego para ser o próprio chefe. Ele é conhecido na cena underground paulistana por causa de sua banda de trash grind, Rhino.

Viola sempre teve afinidade com comida e desde criança já se encontrava entre as panelas. Seu último trabalho formal foi na cozinha do Google. Por trabalhar na multinacional, teve a chance de viajar bastante e notou que a comida de rua, tão presente em outros lugares, não tinha o merecido destaque por aqui. Decidido a mudar

Na frente do parque Trianon, dá até para encontrar uma sombrinha para comer protegido do sol ou fazer a siesta depois

essa história, fez uma pesquisa de ingredientes e escolheu a comida mexicana como especialidade.

Mesmo com algum conhecimento prático, ele conta que levou quase um ano até definir o cardápio da barraca e acertar todas as receitas. "O que deu mais trabalho foi chegar às texturas. Deixar a tortilha mais dura, acertar o ponto do chili, a receita do creme azedo...", exemplifica.

O Tchicano Ai Ai Ai começou fazendo aparições nas feiras semanais da região do ABC paulista, mas após alguns anos na ativa assumiu também um espaço no Trianon. "Foram abertas quatro vagas para concorrer com 44 pessoas. Tive a felicidade de passar em primeiro lugar. Bacana, rolou. Aí consegui a minha licença para trabalhar e comecei logo em setembro de 2010", lembra Viola.

Saborosa e bem servida, a comida quebra aquela ideia que as pessoas costumam ter sobre a culinária mexicana: pesada e picante. O molho de pimenta que eles usam é caseiro, elaborado por Viola, e que tem na composição temperos como a erva-doce. "Eu procurei fazer uma receita tradicional, de uma parte do sul do México. É um lugar onde eles não apavoram tanto."

Provo um pouco do molho no burrito e chego à conclusão de que deveria ser proibido pedir sem pimenta. "Do ponto de vista científico, pimenta que arde muito não é vantajoso para quem está comendo", explica Viola. "Isso porque ela dilata as papilas gustativas e você não sente mais o sabor da comida da forma adequada. O que tentei fazer foi justamente equilibrar isso." E conseguiu.

Para agradar todos os gostos, há uma alternativa. "Tem uma pimenta que a gente importa da Costa Rica e essa é bruta. É para o pessoal que gosta mesmo, porque é a que machuca o bumbum", diz Viola. Sobre ela, só não posso contar mais porque confesso não ter tido coragem de encarar.

O produto mais consumido na barraca é, sem dúvidas, o chili – por mês, são 120 quilos. Além de ser servido no prato, ele entra na composição de burritos e tacos, que podem ser recheados de carne, frango, e linguiça, mas contam também com uma opção vegetariana, feita com vinagrete, queijo e alface. A quesadilla é outra boa surpresa. Montada na mesma massa do burrito, é recheada com cheddar e mozarela. Passada na chapa, fica crocante por fora, cremosa por dentro e quente. Muito quente.

Essa massa, usada no burrito e na quesadilla, é um dos diferenciais do Tchicano. Foi criada por acaso: "Era inicialmente para empanar cebola e fazer onion rings, mas deu errado e acabou virando tortilla." A consistência é crocante e macia ao mesmo tempo, a espessura é perfeita, além do sabor que deixa qualquer um intrigado. O segredo? É feita com cerveja.

Não é incomum, ao se aproximar da barraca, ouvir Viola, Fernando Guilermo e Ian Drummer cantarolando em um tom cômico e exageradamente agudo, ou repetindo os diálogos de um filme de Quentin Tarantino. Sempre bem-humorados, não há show ou ressaca do dia anterior que afete o estado de espírito deles. Por ser uma figura assim, pitoresca, Ricardo criou o "Menos de Vinte", videocast voltado para o público jovem

Achou o rosto familiar? É que além de cozinhar na rua, Viola pilota as panelas na frente das câmeras para seu canal de vídeos no YouTube

que quer fazer um bom rango mas não tem dinheiro para gastar com utensílios ou ingredientes. Pode procurar online, é bem divertido.

Independentemente de seu gosto musical, basta trocar poucas palavras com os rapazes (ou dar uma só mordida em um burrito) para se tornar fã – inclusive no meu caso, que desconhecia o estilo musical dos caras, mas já era apaixonada por comida mexicana. Depois de comer muito bem, nos despedimos à la Brad Pitt em *Bastardos Inglórios*: ariverrrrderci! •

O quê
Comida mexicana

Onde e quando
Sábados, das 12h às 15h30, praça do Carmo (rua Campos Sales), Centro, Santo André; domingos, das 9h às 18h, Feira de Artes e Artesanato do Parque Trianon, avenida Paulista, em frente ao Masp

Um dos meus preferidos: taco no prato com linguiça – e pimenta, claro

Temaki Navan

Se comer temaki já é algo complicado de se fazer em um restaurante, imagine então na rua! Entretanto, o que não faltam são amantes do cone japonês dispostos a dominar essa arte. Ultimamente os food trucks de comida japonesa têm se multiplicado, mas o mais antigo deles é o Temaki Navan.

Antes estacionada em frente à praça General Sodré e Silva, na calma rua Surubim, a primeira temakeria ambulante da cidade agora circula por eventos e locais badalados. É presença certa na porta das baladas mais agitadas da capital.

Os quase 30 sabores de temaki preparados na hora são feitos com ingredientes frescos que chegam todos os dias, logo cedo. O peixe que não for usado em um dia serve para ser grelhado no dia seguinte, nunca para ser servido cru. No cardápio, receitas clássicas são as

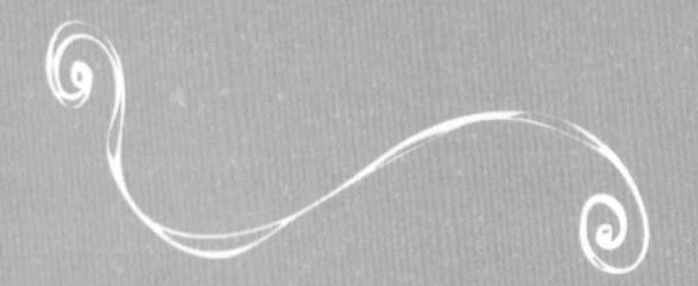

É difícil não se sujar com o shoyu, mas um pouco de malabarismo faz parte de comer na rua mais pedidas, entre elas o salmão grelhado e o atum com raspas de limão, um dos meus preferidos.

A lista conta também com opções mais inventivas, como o cone que leva o nome da casa, feito com alga, arroz, salmão em tiras, pimenta dedo-de-moça picadinha, tabasco, gengibre e azeite, ou o Ebifu-ray, feito com camarão empanado e frito, molho tarê e cebolinha.

Recentemente, o cardápio ganhou mais um clássico das ruas de São Paulo, o yakisoba. Pensado para os dias de muito frio ou para quem não é muito fã do peixe cru, surgiu para ser uma especialidade apenas durante o inverno, mas fez sucesso e acabou ficando – ainda bem! O macarrão é cremoso, servido em uma cumbuquinha de isopor com carne e vegetais.

Quem prepara tudo é o temakeiro. "Não falo sushiman porque já está tudo pronto: o salmão já vai picadinho, a pimenta cortadinha, ele só monta", explica Alan Liao, o idealizador e dono da van.

O cardápio inclui cones com recheios tradicionais, mas tem outras sugestões, como esta, de camarão empanado

Os pedidos são feitos para outra pessoa, na primeira janelinha, que faz a cobrança e já dá baixa no estoque. Em poucos minutos o cone é entregue na janela ao lado. A agilidade dos dois é incrível – e muito apreciada pelos clientes. "A gente atende desde o estagiário ao dono da empresa, porque é uma opção prática, rápida e não tem um custo muito alto", conta Alan.

Liao é, antes de empresário, um DJ. Morou em Nova York por quatro anos e era cliente assíduo dos food trucks de lá. Quando voltou ao Brasil e começou a trabalhar na noite paulistana, sentiu falta de uma opção melhor para comer depois da balada. E foi então que teve a ideia de montar o Temaki Navan.

Surgiu inicialmente na Riviera de São Lourenço, onde há uma licença para esse tipo de alimentação. A van ainda volta para lá em feriados prolongados, nas férias de fim de ano e na alta temporada. Durante as noites, está na porta de danceterias de São Paulo, como a Royal, B4 e Ball Room.

Antes da recente onda de food trucks no Brasil, Alan já ti-

Para dias não tão quentes, experimente também o yakisoba na van

nha montado seu negócio sobre rodas. Ele lembra que, na época, não foi nada fácil encontrar um lugar para fazer a adaptação do carro. "Não tinha uma empresa que montasse uma van como eu queria, então fui atrás de uma que montava ambulâncias e pet shops. Foi uma experiência para eles e para mim."

É aí que entra a parte da sustentabilidade, diferencial do truck de temakis. "Precisei ir atrás de alguma fonte de energia que não fosse tomada, senão dificultaria muito a minha logística e o meu operacional", explica Alan.

A van tem duas placas para captação de energia solar, que sustenta todos os equipamentos e garante o sistema de iluminação e de alto-falantes. "Mas e nos dias de chuva?", você deve estar se perguntando. Bom, nesse caso há uma opção de tomada. Alan carrega o carro por duas horas antes de sair e é o suficiente para o trabalho da noite toda. "Tudo na van é focado na economia de recursos."

Quando está na Riviera, ele aproveita o espaço aberto e o vento para erguer suas hélices e captar energia eólica. Atualmente estuda um sistema para filtrar e reutilizar a água da van, que fica armazenada em dois galões, mas que ao final do dia é despejada em bueiros da região. Cuidado-

O meu preferido: atum com raspas de limão. Alga crocante, arroz macio, peixe fresquinho, como tem que ser

so e detalhista, Alan define sua prioridade. "Minha maior preocupação é a higiene, porque se eu fosse um cliente e chegasse para comer peixe cru e maionese também ficaria com um pé atrás."

Para montar a van e trabalhar sem medo da Vigilância Sanitária, ele conta que foi atrás de todos os formatos exigidos para inaugurar um estabelecimento fixo. "É como se eu fosse abrir um restaurante. A iluminação mínima, a quantidade de extintores por metro, obrigatoriedade de duas pias diferentes", enumera. "Um monte de coisas eu coloquei na minha van já imaginando o que a lei ia pedir quando tudo fosse regulamentado." Um pensamento acertado. •

O quê
Temaki

Onde e quando
Itinerante; ver facebook.com/temakinavan

Alan: DJ e empreendedor nas horas vagas

Mais delícias pelo caminho

Não dá para encarar comida de rua a seco, né? Até porque, em muitos lugares, a bebida é a protagonista da história. E, como ninguém é de ferro, vamos combinar que um doce bem doce é sempre o melhor jeito de arrematar uma refeição gostosa. Ah, sobrou espaço para o cafezinho?

Bamboleiras

"Doce, doce, doce, a vida é um doce..." Todo mundo conhece a música da Xuxa? A minha infância de anos 1990 não nega suas referências quando penso nas Bamboleiras e em seu slogan: "Sabores de infância".

Ariane Guimarães e Cláudia Daroncho vendem açúcar e nostalgia misturados em forma de bolos. Nem todos eles fazem o estilo básico e caseirinho, como está na moda nos últimos tempos. Também não são vendidos em fatia, para comer como se estivéssemos na casa da vizinha. Mas tem café coado na hora para acompanhar!

O objetivo das amigas é "trazer conforto para quem corre tanto nesta cidade e não tem tempo de sentir saudade". As duas se conheceram durante a faculdade de confeitaria e panificação, onde surgiu a ideia de abrir um negócio próprio. "A gente já tinha o

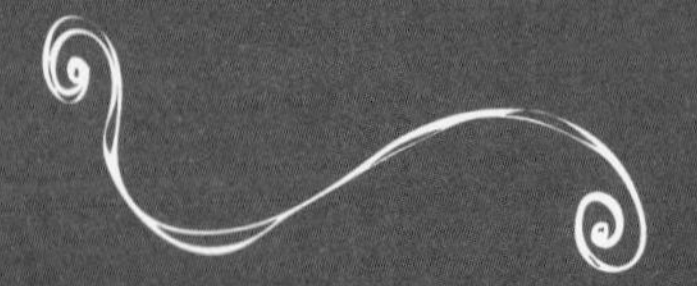
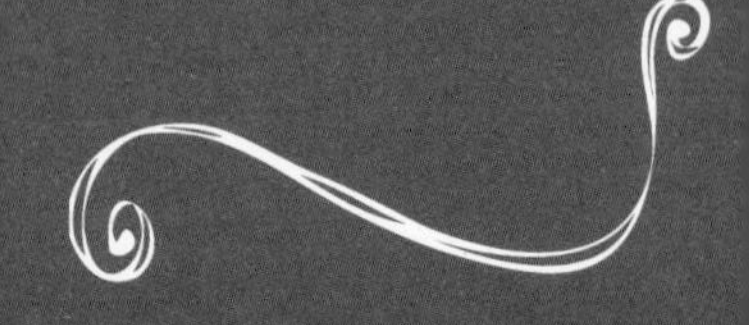

O Bolinho de Lancheira lembra a infância no sabor e no nome

conceito: o resgate da infância", conta Cláudia. Mas mesmo antes as duas sempre tiveram verdadeira paixão por doces.

Ariane se lembra de, aos 15 anos, ter aberto um livro de confeitaria e pensado: é isso. Houve muita influência das avós, mas por insistência do pai, na hora de escolher uma faculdade, foi cursar administração. "Acabou sendo bom não ter cursado gastronomia. De salgado eu sou péssima. Só sei fazer arroz", brinca.

Cláudia também sempre gostou da cozinha e teve o apoio constante da mãe, com quem passava horas entre as panelas quando pequena. Ela conta que seu primeiro bolo foi de caixinha, coberto com açúcar e margarina, como se fazia antigamente. O gosto se limitou a passatempo durante e depois da faculdade de engenharia, até que virou profissão.

Quando concluíram juntas o curso, conversaram sobre abrir um negócio próprio. "Uma loja física era muito caro, um ponto bom era mais caro ainda", conta Ariane.

Foi só depois de perceberem as mudanças na lei de comida de rua em São Paulo e o fortale-

Bolo de chocolate coroado por um brigadeiro, bolo de limão coberto por marshmallow... Até o bolinho Ana Maria as bamboleiras fizeram questão de reproduzir cimento da onda de food trucks que enxergaram, nesse novo nicho de mercado, uma oportunidade para o negócio. O conceito, de sabores puxados da memória, já estava definido. Só faltavam mesmo as receitas.

"A gente pegou muita coisa dos cadernos das avós, das tias, da mãe", contam. As duas incrementaram essas receitas com o que aprenderam na faculdade. O chocolate em pó, por exemplo, virou ganache preparado com os produtos da marca belga Callebaut. O creme branco, um crème pâtissière com baunilha de Madagascar. A massa básica, um pão de ló cuja receita foi desenvolvida durante meses a fio. "Nada era perfeito o suficiente", diz Ariane sobre a base do bolo de morango, um dos meus preferidos desde a infância.

Confeitaria é uma verdadeira química – e aí a Cláudia tem vantagem. Principal responsável pela cozinha, fica diariamente na produção, que se estende de segunda a sexta. A Ariane leva jeito para a parte administrativa, que concilia com outro emprego – o que não significa de jeito nenhum que ela não se perca entre as panelas.

No fim de semana ela monta o cronograma de segunda a sexta. Coloca no papel tudo o que devem fazer, passo a passo, cada dia. "A gente coloca na lista até as coisas mais básicas, como lavar as fôrmas, porque é uma tarefa que demanda tempo e não pode deixar de ser feita." Em cima das tarefas, as duas calculam tudo que vão usar durante a semana para controlar o estoque e as compras.

As fornadas são assadas diariamente, para estarem sempre com aquele gostinho de bolo que acabou de esfriar no parapeito da janela, sabe? O de brigadeiro é um dos mais pedidos, ao lado do bolo gelado de coco, embalado em papel-alumínio, que pode ser comido até de colher. Por fim, destaque ao Bolinho de Lancheira, feito com pão de ló, raspas de laranja e recheio de doce de leite. Impossível não lembrar do bolinho Ana Maria e das brincadeiras na hora do recreio! •

O quê
Bolos

Onde e quando
Itinerante; ver facebook.com/bamboleiras

Bio Barista Cafés Especiais

Alex Pereira tem 30 anos, 10 deles dedicados ao trabalho com café. Sua relação com o barismo foi mesmo de paixão. "Para muita gente, o café é uma coisa comum, do dia a dia, mas não para mim", diz.

Ele conta que começou a aprender cada vez mais sobre a história do produto e suas possibilidades quando trabalhou no Santo Grão, cafeteria localizada na famosa rua Oscar Freire. Em seguida, passou por várias outras casas de café, até resolver que era hora de abrir um negócio próprio depois de cinco anos de experiência. Montou um projeto para oferecer o serviço de barista em empresas para aniversários, festas e ocasiões especiais.

Foi então que Alex percebeu que precisaria de uma estratégia para conseguir trabalhar também fora da temporada de eventos. "Eu tinha de pagar as contas", confes-

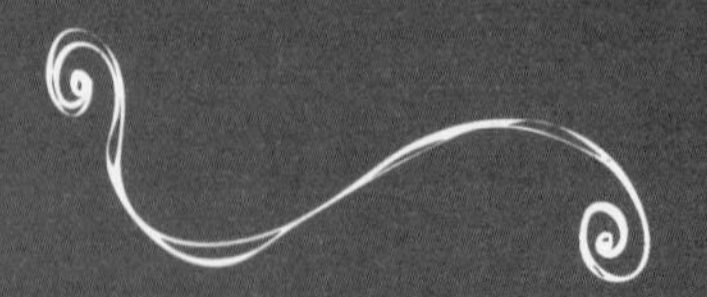

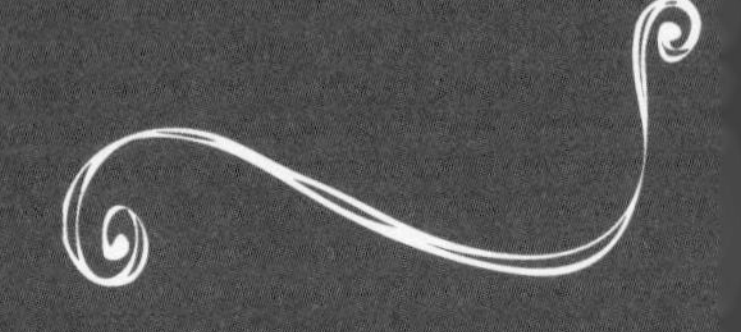

Grãos orgânicos e café bem tirado: agradeça ao barista e aproveite sa. Pesquisando uma solução, deparou com os coffee trucks, que já existiam na Austrália e na Nova Zelândia. "Eu já conhecia os food trucks, mas não sabia que era possível fazer o mesmo com café!"

Quando começou a considerar os veículos, a kombi foi uma escolha imediata. "Tenho história com a Volkswagen. Cresci dirigindo um fusca, meu pai teve uma brasília, e até uma kombi, meu pai já me deu", relembra. Alex investiu em um modelo Classic, de 1947, que ele mesmo ajudou a reformar. "Fiz parte da restauração, raspei tinta, serviço completo", orgulha-se.

Seus principais objetivos eram fazer café de qualidade, em um carro antigo e charmoso, usando uma máquina La Marzocco. "Ela é a Ferrari das máquinas de café", explica. "E hoje eu tenho uma, rodando a cidade e fazendo café em um coffee truck. E só eu posso dizer isso, o que é muito legal!", gaba-se.

Opções quentes e geladas para quem não abre mão do cafezinho – seja para acordar ou para arrematar a refeição e embalar uma tarde gostosa

Falando em exclusividade, o café que Alex serve vem da Fazenda Ambiental Fortaleza, em Mococa. Os grãos são orgânicos, e o local tem uma história muito bacana com sustentabilidade social, ambiental e econômica.

Por causa do acordo que fizeram, Alex pode acompanhar todo o processo de colheita e torra, além de receber grãos variados. Tudo que ele serve sai da fazenda direto para a kombi, e a parceria garante exclusividade ao Bio Barista. "A concorrência até tentou, mas não deu", brinca. A gente só tem a agradecer a oportunidade de experimentar um café tão gostoso, seja para começar bem o dia ou para arrematar a refeição. Vai um cafezinho aí? •

O quê
Café

Onde e quando
Itinerante; ver facebook.com/biobarista

Alex posa ao lado de sua Ferrari: orgulho de proprietário

Box da Fruta

O Box da Fruta tem ares de barraca de feira, sabe? Ao lado do balcão, uma plaquinha preta com letras brancas e amarelas de encaixar, como antigamente, mostra o que há disponível no dia. Sucos, vitaminas e smoothies são batidos na hora, e as combinações de sabores são várias.

O truck foi fundado por Edjaimas Pessoa e pelos irmãos Vinícius e Guilherme Almeida Chagas em março de 2013. Ao analisarem as tendências de mercado, pensaram em algo voltado para a saúde e o bem-estar. Vinícius conta que é praticante de corrida e sentia falta de alternativas saudáveis para recuperar as energias depois do treino. Nenhum dos três trabalhava no ramo de alimentos e bebidas, mas tinham em comum a vontade de abrir um negócio próprio.

A primeira ideia foi a de uma frutaria itinerante, instalada em um contêiner, que de dois em dois

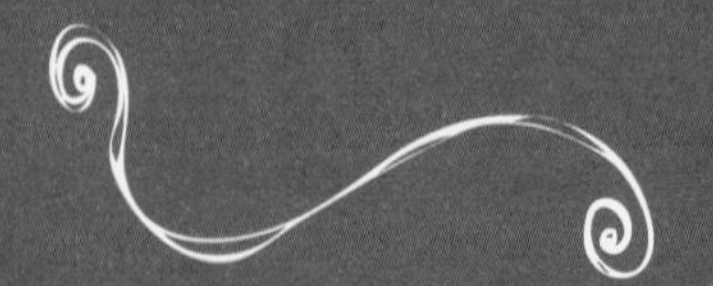
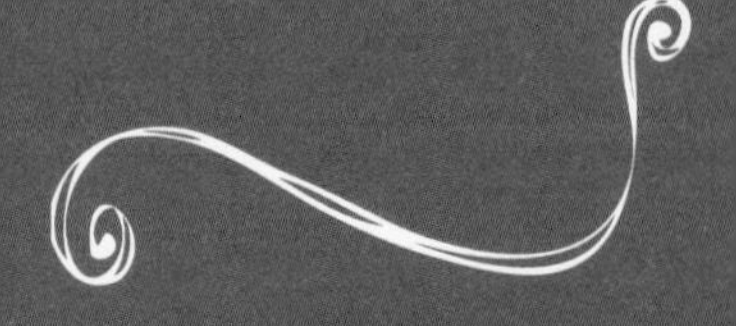

Sucos com frutas frescas de verdade

meses mudaria de lugar. Quando surgiu o projeto de lei para regularizar a comida de rua na cidade, resolveram transformar a frutaria sem rodas em um food truck de sucos, e assim nasceu o Box da Fruta.

Hoje, oferecem sucos naturais de fruta feitos na hora, smoothies e bebidas especiais, que mudam diariamente, de acordo com o que há de mais fresco no mercado. Entre os sabores mais pedidos estão o de maçã verde com limão-siciliano, água de coco com lichia ou com uva verde e a limonada cor-de-rosa.

Em garrafas de vidro e sempre geladinhos são servidos os sucos funcionais, como o verde (abacaxi, limão, maçã, salsão e couve) e o vermelho, feito com cenoura, maçã verde, beterraba e salsão. Além desses, ocasionalmente oferecem sucos preparados com *cold pressing*, um processo em que a máquina prensa as frutas a frio, absorvendo mais nutrientes. O tem-

Os sabores disponíveis no dia estão sempre descritos na lousa; o difícil é escolher um só

po de preparo é maior, mas a validade do produto e sua qualidade, em termos nutricionais, também.

Apesar de as bebidas serem a especialidade da casa, quando o truck está estacionado sozinho em algum ponto, também oferece wraps, saladas e sanduíches naturais caseirinhos, como o de atum com cream cheese e cenoura e o de peito de peru desfiado com queijo cottage e abacaxi.

Nesse truck, não tem tempo ruim. Quando chega o inverno, a turma aposta em cremes e sopas, como a de mandioquinha e a de cenoura com gengibre. Já no verão, como estamos no Brasil, não poderia faltar o açaí na tigela. Como nem todo mundo que frequenta o truck é de ferro, granola e leite condensado são opções para turbinar o pedido da geração saúde. O truck também vende sobremesas leves – de vez em quando, por exemplo, tem a mousse de maracujá servida dentro da fruta, que, além de lindinha, é uma delícia. Quem foi que disse que o saudável não pode ser gostoso? •

Quando está muito calor, Guilherme só para de trabalhar quando acabam as frutas. Ou o dia

O quê
Sucos

Onde e quando
Itinerante; ver facebook.com/boxdafruta

Cannoli da Rua Javari

Para muita gente, comida de porta de estádio é sanduíche de pernil, cahorro-quente, pipoca, certo? Errado, se o estádio em questão for o Conde Rodolfo Crespi, na Mooca. Lá, a tradição manda: em dia de jogo do Juventus, comer cannolo é obrigatório.

E quando não come, o torcedor do Moleque Travesso leva para casa. "Olha, vai lá ver o jogo, mas se não me trouxer cannoli, não volta mais!", diz a esposa. Ao menos é isso que me conta o seu Antônio, que vende o famoso quitute há mais de quarenta anos no mesmo local: o corredor apertado que dá passagem aos gramados do estádio sem iluminação ou placar eletrônico na rua Javari, 117.

Ali é possível voltar no tempo e viver os anos áureos do futebol, do amor à camisa, da família toda no estádio, do "juiz ladrão!". E o cenário não estaria completo sem o tal do cannolo.

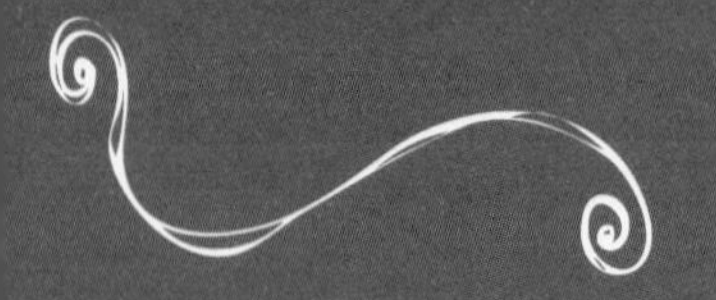
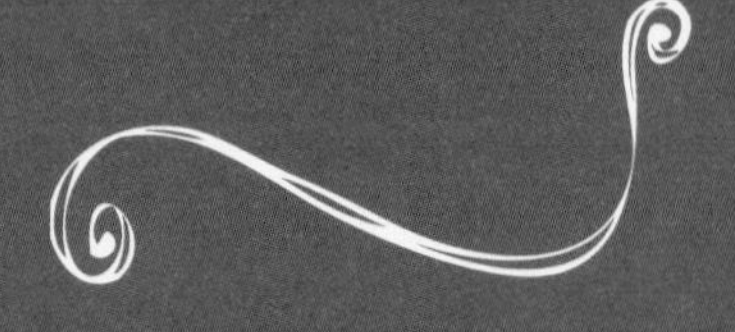

Creme ou chocolate? Basta escolher qual comer na hora e qual levar para casa

O doce tem origem italiana e é uma especialidade da Sicília. Dizem que sua fama se deve, em parte, ao épico filme de Francis Ford Coppola *O poderoso chefão*. Como não lembrar do personagem Peter Clemenza e a clássica frase: "Deixe a arma, leve os cannoli"? O cannolo, no singular, consiste em uma massa adocicada, frita em formato cilíndrico (pode ser assada, mas arrisco dizer que não tem a mesma graça), e recheada com diversos sabores.

Antônio Garcia é um senhor de riso fácil, adora uma conversa. Talvez não seja exagero imaginar que, em um dia com os 5 mil ingressos vendidos, ele fosse cumprimentado 5 mil vezes. Contente, recebe com bom humor todos que o procuram ao final do jogo – inclusive eu. Conta do doce, do Juventus e da vida, sem pressa de ir embora.

Mooca é Mooca!
A tradição do time está na torcida, nos hinos e também no doce

As receitas do tubinho crocante e dos cremes de baunilha e chocolate usados por ele foram aprendidas direto da fonte: uma família italiana que residia na Vila Carrão. Seu José e dona Ida vendiam os cannoli ao menino de, na época, não mais de dez anos, que revendia os quitutes para complementar a renda do carreto que fazia na feira. "Eu pegava uma caixinha de uva, passava um cordãozinho no pescoço e saía. Vendia uma dúzia, voltava, pegava outra dúzia e ia", relembra ele a história que começou há mais de meio século.

De vendedor, Antônio Garcia passou a ajudante, e eventualmente herdou a receita que àquela época já fazia sucesso. "Eu fui me aperfeiçoando, descobrindo o segredo da massa, o segredo do creme..." e hoje coloca esses conhecimentos em prática semanalmente para preparar cannoli da mesma maneira e não desapontar sua clientela fiel. "Vendo para uma terceira e quarta gerações. Eu tenho fregueses

Seu Antônio, um ídolo das arquibancadas da rua Javari, prepara cannoli para diversas gerações de famílias da Mooca

desde aqueles tempos, hoje com 90 anos de idade, que gostam do doce assim como as crianças."

A produção começa cedo, quatro horas da manhã para os jogos matutinos, como os que provei em uma partida da primeira fase da Copa Paulista – torcendo pela classificação do time grená e por mais domingos com cannoli. "A gente faz no mesmo dia, no máximo um dia antes, para ficar sempre fresquinho", explica seu Antônio.

A cada partida, são vendidas cerca de 500 unidades do doce. São quatro tabuleiros lotados que provocam filas e reúnem, facilmente, mais de cem pessoas durante o intervalo. Muitos não se importam de sacrificar os minutos finais do primeiro tempo e dividem a atenção entre a espera e o gramado, ouvindo os gritos da arquibancada e imaginando os lances que acontecem em campo. Torcedores também costumam perder os lances iniciais quando a partida é retomada – tudo para garantir um cannolo.

O doce é mais disputado que a bola – a produção costuma acabar antes do final do intervalo. Para quem ficou sem, o jeito é procurar seu Antônio pelos campos de várzea da cidade, onde ele acompanha campeonatos e também é conhecido como "o senhor do cannoli". Mas, sinto dizer, não é a mesma coisa. Comer cannolo e assistir

a um jogo do Juventus na rua Javari é um evento. É para quem tem paixão – pela comida ou pelo esporte. •

Confesso que me interesso muito mais pelo doce do que pelo jogo... Mas ainda assim, o programa é delicioso e costuma agradar toda a família

O quê
Cannoli

Onde
Estádio Conde Rodolfo Crespi, rua Javari 117, Mooca

Quando
Em dias de jogo do Juventus

Doces da Dona Dina

Em todo guia gastronômico que se preze, uma das categorias de avaliação é como a personalidade do chef está presente nos pratos. Se eu tivesse que me basear apenas nisso, a barraquinha da dona Dina receberia, sem dúvida, três estrelas. Seus quitutes são tão doces quanto sua pequena figura de 84 anos, usando um chapéu, sentada em um banco.

Provo um camafeu e uma bala de ovo enquanto ela me conta como aprendeu aquelas receitas todas, "na marra mesmo", nas docerias pelas quais passou em quase sete décadas. Sim, Delminda Maria dos Santos faz docinhos desde os 17 anos. E não faz só isso! Prepara banquetes como aqueles de outros tempos, que a gente pensava nem existirem mais – afinal, quando foi a última vez que você ouviu a palavra banquete?

"'Mãe, compra um pouco de ovo que eu quero aprender a fa-

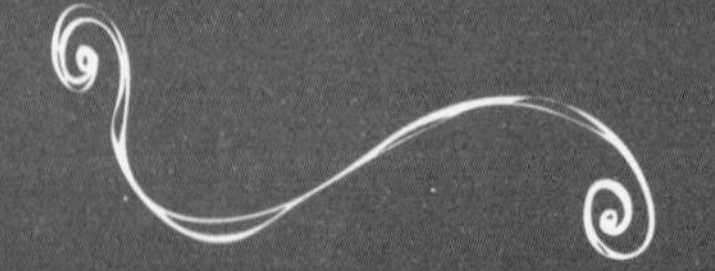

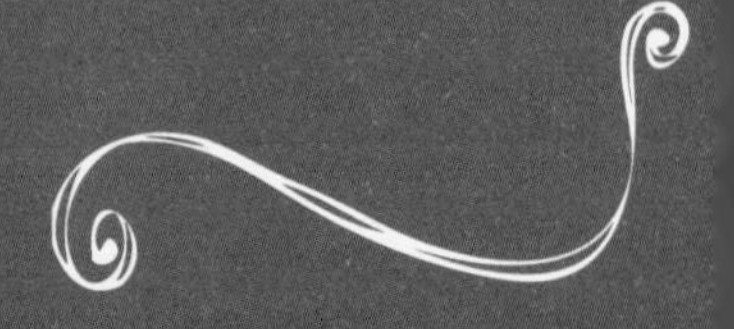

O segredo
deste pudim
de claras alto e
fofinho? Dona Dina
conta com o
maior prazer

O espaço da barraca é simples, mas os docinhos são muito refinados

zer aqueles doces', eu dizia. E o dinheiro, você sabe, era difícil. Mas ela ia lá e comprava uma dúzia de ovos", conta, com memória afiada, sobre os primeiros anos que passou metida na cozinha. "Eu tacava no forno e ficava tudo duro. 'Mãe, precisa comprar mais ovo!' E aí ficava mole. Aquilo demorou, mas foi assim que aprendi. E fiquei morrendo de paixão." Hoje é uma cozinheira de mão cheia, conhece vários truques culinários e vai adorar dividir todos eles com você.

Delminda veio de Presidente Prudente para São Paulo com a mãe na década de 1940, para trabalhar. As duas moraram em porões e casebres até conseguirem se estabelecer. Foram tempos árduos, mas que ela encara hoje como aprendizado de vida.

Nas casas tradicionais da cidade, como a Abelha, da confeiteira Sara Barbosa, ela conta que observava cozinheiras mais experientes e tentava absorver tudo. "Elas faziam doce de abóbora, pastel, bem-casado, bolo, tudo batido à mão! Não tinha batedeira, não, viu?! E eu queria aprender aquilo." As doceiras, em geral, guardavam segredo das receitas e dos truques que usavam.

Não deixe de provar o caramelado, um dos primeiros doces a desaparecer todo domingo. Ele mistura ovos, açúcar e manteiga, transformados em uma espécie de bala redonda e alaranjada. "Desses aí tenho seis qualidades", ela diz. Sinceramente? Recomendo provar todas. Que delícia de morder! Uma casquinha fina e açucarada contrasta com o interior macio. Basta escolher a cobertura: entre as minhas preferidas estão as nozes e as lascas de castanha-do-pará.

Outra sugestão é provar o pudim de claras. Macio, branquinho, com uma base crocante na parte de baixo, deixa um leve gostinho de limão quando derrete na boca. Para fazer o doce, o segredo de dona Dina é deixar a porta do forno entreaberta; desse modo, o pudim vai assando enquanto cresce e não corre o risco de murchar ao sair do forno. Se você quiser provar um pedaço, o mais indicado é fazer encomendas, pois esse é outro que acaba rápido. Aos domingos, o ideal é visitar a barraquinha antes do final da missa das 10h. Assim, dá para aproveitar a variedade de quitutes e até levar alguns para casa.

Os olhares mais atentos podem reconhecer dona Dina de outro lugar que não a tenda amarela na praça Nossa Senhora Aparecida, em Moema, zona sul da capital. Ela diz que já participou de quadros de culinária em programas como *Xênia e Você*, de Xênia Bier, *Todo Seu*, do Ronnie Von, *Note e Anote*, apresentado por Claudete Troiano e *A Tarde é Nossa*, de Sula Miranda. "Até na TV japonesa já apareci!", conta. Eu me divirto ao tentar imaginar como foi que isso aconteceu.

Quando ia para a televisão, sentava na mesa da cozinha e repassava todas as receitas. "Tinha que começar tudo de novo, porque eu fazia tudo a olho, de cabeça, e lá eu precisava dar o passo a passo, né?"

Além de padarias, fábricas e lojas, também trabalhou fazendo jantares para famílias poderosas da cidade. Nessas casas, cozinhava até altas horas da noite algumas vezes por mês. Ocasionalmente também recebia ligações para preparar comidinhas em casas de jogo da cidade.

"Sabe ali na avenida Paulista, esquina com a Consolação? Aquele prédio ali era jogatina." Segundo diz, fazia extras lá depois do expediente. "Adhemar de Barros? Era freguês! Só gente graúda! Quando eu acabava de trabalhar, a dona do pife falava: 'Vai lá e pega seu pagamento.' Em cima da cama dela era assim de dinheiro", conta dona Dina, fazendo uma montanha com as mãos. "Eu ia lá, juntava umas notinhas e ela falava: 'Ah, pega mais!'" E quando a polícia chegava? "Era gente entrando na cozinha, no banheiro... Você tinha que ver que sufoco!"

Os docinhos ficam à mostra para o cliente se servir, mas tem que ser rápido para não ficar sem

O quê
Doces finos

Onde
Feira de Arte, Artesanato e Cultura de Moema, praça Nossa Senhora Aparecida

Quando
Quarta, sexta e domingo, das 9h às 17h

Atualmente, dona Dina não faz mais jantares nem banquetes. Também não tem mais idade para o pife. Seu negócio mesmo são os doces. Além dos que contei aqui, Delminda faz doce de abóbora, bolos, tortas e o que mais sentir vontade de cozinhar. Fica ali na praça por opção mesmo – achou que seria muito caro e complicado abrir uma loja. Além do mais, gosta muito do bairro, onde está desde 1984, antes mesmo de a feirinha de artesanato existir. Ali ela vai continuar, aposto, por muito mais tempo – até mesmo quando não estiver mais lá. •

Dona Dina: mais de 80 anos, uma memória invejável e uma doçura comparável apenas aos docinhos que vende

Doces de Obeny e Maria Emília

Passar um sábado de sol na praça Benedito Calixto está entre os melhores programas que um paulistano pode fazer gastando pouco. As antiguidades expostas sob as tendas, os telefones a disco e as máquinas de escrever, vinis históricos e outros itens me transportam automaticamente para dias passados em casa de vó – e essa sensação se intensifica quando chego à área de alimentação.

Buraco quente, sanduíche de pernil e bolinho de bacalhau são alguns dos salgados vendidos nas barraquinhas – com destaque para a Embaixada Paraense, que você também encontra aqui no livro. Depois de comer bem, a escolha é quase involuntária: um docinho para arrematar.

E quando o assunto é adoçar o paladar, uma barraca salta aos olhos, entre as quase dez que ali estão. Ela é facilmente identifi-

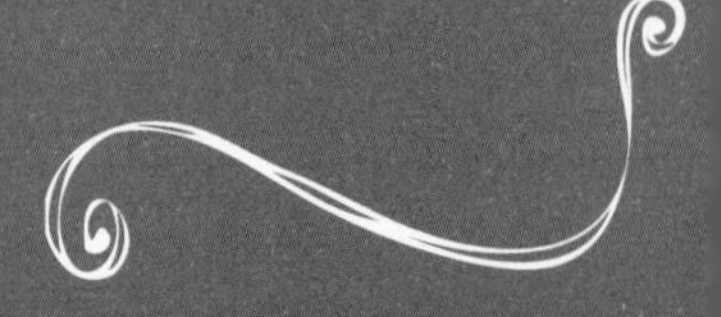

Um doce para comer de colher traz memórias que adoçam até a alma cada pelos poemas pendurados abaixo de cada cuba de vidro recheada de doces caseiros, bem daqueles que a gente deseja no meio da tarde, para comer de colher.

O "doceiro-poeta" é Obeny das Candeias, que vende os quitutes preparados por sua mulher, Maria Emília. Peço uma indicação e recebo em um potinho o carro-chefe da casa: ambrosia. "Doce lembrança de minha infância querida! Te conheci no fogão à lenha da vovó, e eras para mim a coisa mais gostosa da vida", declama o simpático vendedor, enquanto provo. Terminamos juntos, eu de comer e ele de declamar: "Ambrosia, sei que és ciumenta, e quem se delicia com o teu sabor outro doce não experimenta."

Depois de me derreter por essa amável figura, pergunto qual é o segredo dos quitutes com gosto de infância, do tipo que são tão, mas tão açucarados, que a gente, pequeno, nem liga, só quer mais. Ele me responde que quem faz tudo é a sua querida.

Estão juntos há três décadas, e a barraquinha é um dos resultados dessa parceria. "Somos uma equipe", conta Maria Emília, responsável pelo fogão. "Antes de o doce ir para a panela, precisa comprar a fruta, descascar, medir o açúcar...", enumera as funções que ficam a cargo de seu marido. "Tudo aqui é feito sem conservantes, corantes ou aromatizantes", completa ele. "Tem apenas amor e carinho."

Quando Maria Emília era criança, sua mãe e suas tias

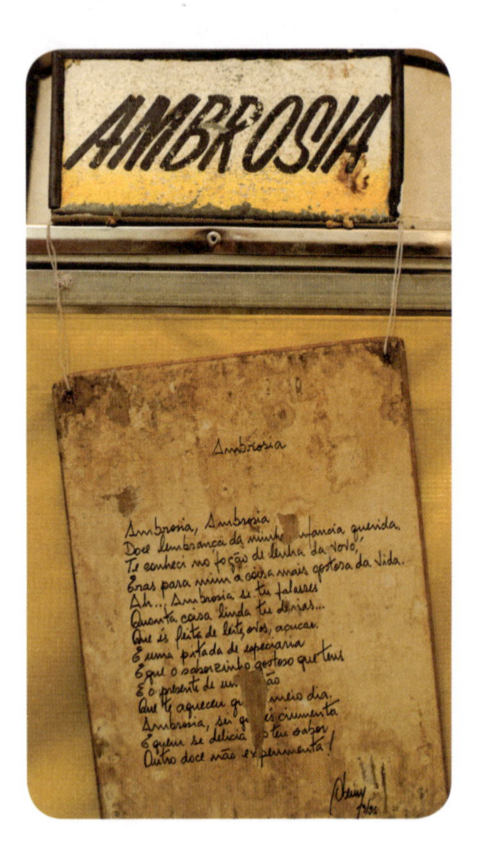

Os poemas, quem faz é Obeny das Candeias

tinham, por costume, cobrir a mesa de doces para o café da tarde. De família paulistana, mas com forte influência do sul de Minas Gerais, ela conta que é uma formiga e que por gostar tanto de doces aprendeu os segredos e "resolveu colocar as pessoas para conhecerem". "Esse doce, assim, você não encontra mais. E é um traço da nossa cultura, da nossa raiz, que é o doce caipira da fruta com o açúcar", defende ela.

Obeny concorda: "A pessoa é para o que nasce. Quando gosta daquilo que faz e trabalha com paixão, vai sempre dar certo." No caso deles, o ideal é levado a sério: "Nós vivemos do doce – foi uma opção", conta Maria Emília. "Cozinho a semana inteira."

Mesmo com algumas encomendas maiores, o casal se sustenta mesmo com os lucros da barraca na feira. A outra ocupação é voluntária, na Associação dos Amigos da Praça Benedito Calixto, principal responsável pelo acontecimento semanal da feira. Lá, Maria Emília é vice-presidente.

Peço mais um doce para acompanhar a história da feira e me perco na hora de escolher. Doce de batata-roxa, baba de moça ou espera-marido? Obeny me sugere "a combinação mais brasileira que há", de doce de coco com goiabada. Aceito com gosto e recomendo também.

A feira existe desde 1986, quando foi criada pela Associação. Naquela época, chamava-se Mercado das Pulgas e funcionava de modo simples, com panos

Maria Emília é a musa inspiradora dos versos e a cozinheira responsável pelos doces

estendidos no chão e apenas quatro barraquinhas de alimentação. Em três anos, a feirinha se consolidou no calendário paulistano, e em cinco, passou a ocupar a praça inteira.

Hoje a feira da Benedito Calixto vai muito além da praça e recebe, em média, 12 mil pessoas por sábado. Os visitantes passeiam, visitam as lojas próximas e a Feira Qualquer-Coisa, que fica no número 85 da própria praça, onde acontece o Panela na Rua. É uma delícia comer um salgado e tomar uma cerveja gelada ao som do chorinho, que toca religiosamente entre 14h30 e 18h30. Depois, almoçar no Consulado Mineiro, primeiro restaurante a aportar na região, ou apenas sentar à beira da calçada e tomar outra cerveja, direto do gargalo, se despedindo do sol.

Por fim, fazer uma escolha difícil, entre os 15 sabores expostos

A barraca exibe os sabores em potes transparentes; embaixo de cada um, os poemas sobre sua origem, seu nome, seu gosto

na barraca (de 27 possibilidades e receitas de Maria Emília). Das sugestões que já dei, faltou a mais tradicional: chocolate com doce de leite. Entre o brigadeiro e o cacau, preferi o segundo, que é mais leve, mas não menos delicioso. O toque final fica por conta da paçoca polvilhada, cortesia da casa. E a visita termina assim, com a promessa de ser mais açucarada ainda no próximo sábado. Ou apenas com o desejo, não só para a sobremesa, mas para a vida: que seja doce. •

O quê
Doces caseiros

Onde
Feira de Arte, Cultura e Lazer da Praça Banedito Calixto, Pinheiros

Quando
Sábados, das 8h às 19h

Se ficar na dúvida, peça ajuda para escolher. Obeny dá sugestões e oferece até uma provinha

Kombosa Shake

Antes de notar a simpática kombi decorada em cores de marshmallow (azul bebê e um leve cor-de-rosa), você possivelmente vai notar a fila, que cerca o veículo por todos os lados. A kombi de milk-shake do empresário Diego Fernando Juliano faz sucesso entre o público desde o dia que inaugurou.

Ele conta que a ideia de montar o carro surgiu da união de suas paixões. Ele sempre foi fã de milk-shakes e, durante uma temporada que passou morando na Espanha, ficou insatisfeito com as opções que eram oferecidas por lá – sentia falta de um produto de qualidade no mercado. Depois, passou um período em Nova York e ficou louco com os food trucks. "Queria comer em todos! Se havia três trucks de cachorro-quente, eu comia em um depois do outro. Queria provar tudo", conta.

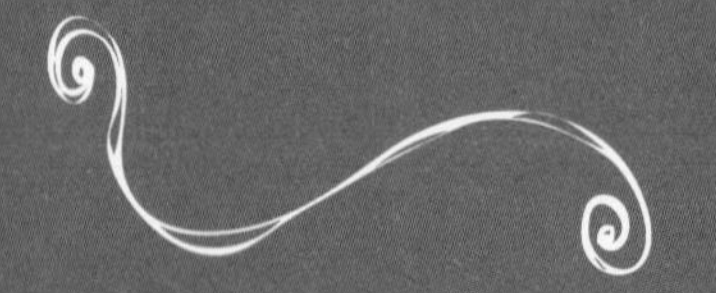
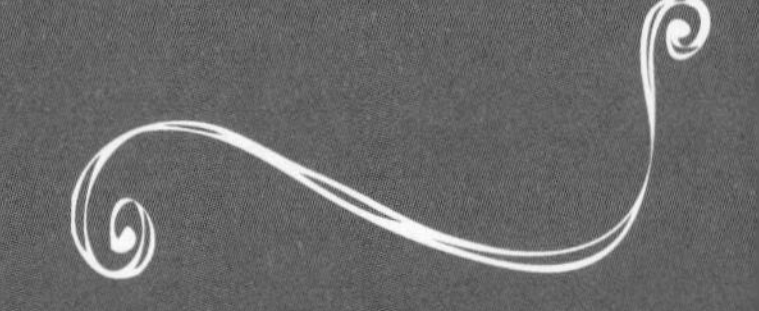

Entre os mais de 150 sabores de milk-shake, difícil mesmo é escolher um só

Debaixo de sol ou de chuva, a kombosa está sempre movimentada

Meses depois, quando retornou ao Brasil para visitar a família, ficou sabendo que a kombi deixaria de existir. "Sempre adorei kombis e fiquei pensando muito nisso. Resolvi comprar uma." E assim surgiu a Kombosa Shake.

Em parceria com amigos e familiares criou os uniformes, a paleta de cores do truck e toda a comunicação visual do produto. Há, na concepção da ideia, uma preocupação também com sustentabilidade. Diego fez questão, por exemplo, de que o carro utilizasse energia solar, os copos fossem biodegradáveis e a matéria-prima de papel utilizada fosse toda reciclada.

Um amigo estudante de gastronomia e uma amiga nutricionista se uniram a ele para bolar as receitas, que têm como base sorvete de baunilha e uma dose de leite integral. O resultado? Conseguiram criar nada menos do que 180 sabores de milk-shake. Desses, cerca de 20 estão disponíveis diariamente.

As gostosuras se dividem entre os mais tradicionais, como

O quê
Milk-shake

Onde e quando
Itinerante; ver facebook.com/kombosashake

Nutella, Leite Ninho, paçoca e beijinho, e outros bem elaborados, como o de musse de limão (limão-siciliano espremido com leite condensado e creme de leite) e o de cheesecake, feito com goiaba, cream cheese e massa de torta triturada.

Os negócios não param de crescer e já são duas kombis rodando pelas ruas, além de um quiosque. Diego não para de fazer planos: vão abrir uma loja fixa ainda em 2015 – que vai servir todos os sabores – e pretendem desenvolver um sistema de franquias para oferecer truck, loja e quiosque a quem tiver interesse em refrescar o paladar dos clientes pela cidade afora. Não há calor que resista. •

Diego concilia as atividades no truck com a administração da marca, que já está se transformando em rede

Picoleteria

As paletas mexicanas estão em alta, nós sabemos. Assim como estiveram os frozen yogurts no passado. E não vou nem entrar no mérito das gelaterias italianas. Mas quer saber mesmo o que não sai de moda? O bom e velho picolé.

Tem gente que acha que é tudo a mesma coisa, mas não, não é. Especialmente quando o sorvete em questão é feito por Suzy Silva e Juliana Namura, sócias da Picoleteria.

Amigas de infância, sempre tiveram vontade de trabalhar juntas, mas não sabiam exatamente com o quê. "Sabíamos que seria algo no mercado gastronômico, mas o produto ainda não estava claro. Passamos muito tempo pensando nisso", conta Suzy.

E parece que relembrar os sabores da infância é uma boa solução para soltar a criatividade e pensar nas possibilidades de um novo negócio. Como muitas das

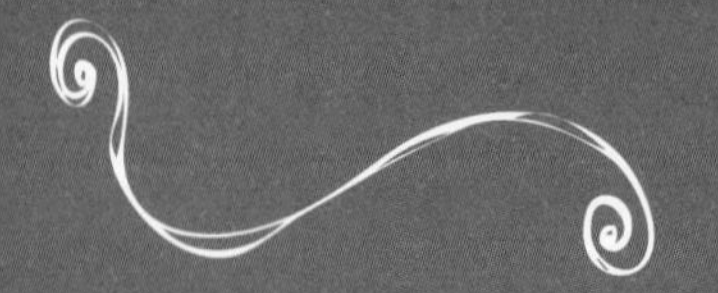
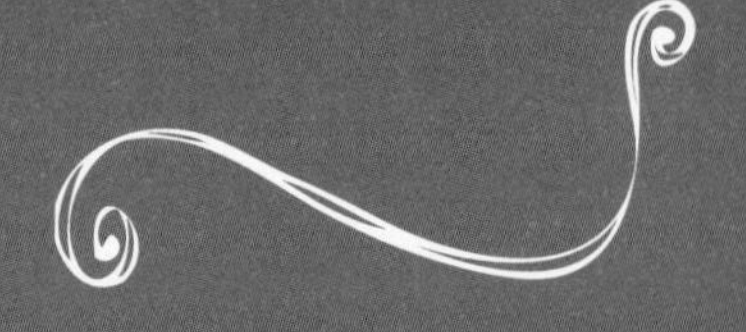

Que paleta que nada, gosto mesmo é de picolé! E se for da Picoleteria, melhor ainda

As embalagens estilo retrô são um charme à parte

crianças que passaram a infância em uma cidade grande como São Paulo, as duas, quando pequenas, já estavam acostumadas com o esquema de férias, feriados e fins de semana que começam no trânsito do último dia útil e terminam em alguma praia próxima, comendo milho cozido e tomando sorvete.

No caso delas, o destino era Caraguatatuba, onde fica a sorveteria do Sérgio. "A gente amava o de brigadeiro – que é muito mais brigadeiro do que sorvete", lembra Juliana. Foi assim, entre reminiscências dos tempos de criança, que foi definido o produto. Mas foi mais do que isso. "Como era o único sorvete de que a Ju gostava, pensamos em ser fiéis a esse modelo. E ficou claro o que precisávamos fazer: confeitaria no palito", completa Suzy.

A lista de sabores que as duas elaboraram pensando nessa proposta inclui cheesecake recheado de goiabada – "a mais brasileira das frutas vermelhas" –; torta de limão, que além das raspas da fruta tem também pedacinhos de massa; e o de brigadeiro de panela, uma homenagem ao preferido da infância e um dos mais pedidos. "A gente faz o brigadeiro na panela mesmo, igual ao que todo mundo faz em casa. A única diferença é que é em grande quantidade", contam.

A brasilidade também aparece em outros toques, como a pimenta rosa que incrementa o picolé de manga ou a cachaça que completa o de caipirinha – com gosto de álcool de verdade! Esse, aliás, é um dos que mais dão trabalho para fazer. "É muito difícil chegar ao ponto de congelamento. Nós somos as primeiras do mercado a conseguir isso", garantem. Nessa linha, ainda há versões com saquê e morango ou kiwi e vodca com maracujá.

Artesanais, os picolés são feitos em forminhas e não levam corantes nem conservantes artificiais de qualquer tipo. As duas amigas contam que nunca pensaram em sorvete de massa e que o foco sempre foi a qualidade e a textura dos picolés. Fizeram diversos cursos, até se especializarem no assunto.

Para quem ficou com vontade de acompanhar o carrinho de sorvetes como naqueles filmes de antigamente, basta seguir a Picoleteria nas redes sociais. Para quem não tem todo esse pique, uma boa notícia: as meninas já contam com quiosques e geladeiras espalhadas por endereços em São Paulo e em cidades do litoral paulista – basta entrar no site e conferir qual está mais perto de você. •

Juliana e Suzy, em seu carrinho de sorvete: para quem sempre sonhou em correr atrás de um, como viu nos filmes americanos!

O quê
Picolé

Onde e quando
Itinerante; ver facebook.com/picoleteriaoficial

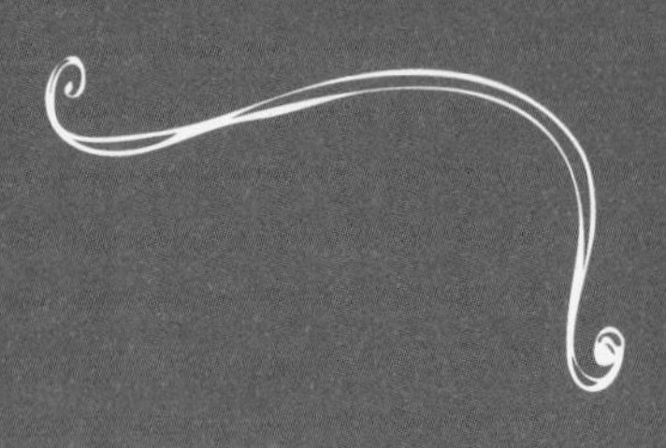

Eu me lembro claramente, como se fosse ontem, do aroma que me atraía pelas ruas de Bruxelas na primeira vez que comi um típico waffle belga. O doce consiste apenas de uma massa fofinha polvilhada com açúcar e prensada entre duas chapas de ferro. Como é preparado na frente do cliente, o waffle desprende o perfume do açúcar caramelizado e da massa assada e faz a pessoa antecipar o sabor incrível, muito particular, e delicioso que a aguarda.

Quando surgiu, o doce era crocante como um biscoito e bem fino, muitas vezes usado como hóstia. A partir do século XIII, as peças de ferro começaram a ser decoradas com motivos religiosos, brasões e outros desenhos, entre eles os favos de mel – *wafla*, em língua franca, de onde veio o nome.

Mas essa história toda é muito mais rebuscada do que a maneira

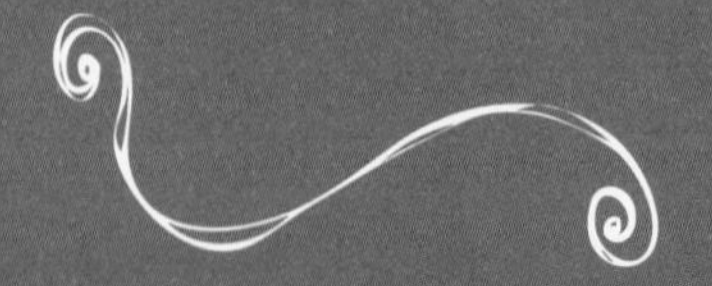

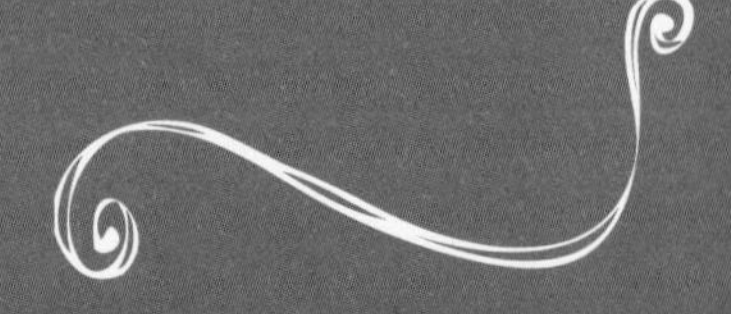

Waffle, Nutella, chantilly e um morango pra coroar... Precisa dizer mais?

O truck também oferece opções salgadas para quem quiser provar

pela qual nasceu o Waff. "Foi em uma simples conversa telefônica", conta Beth Carol, proprietária do triciclo laranja que carrega as chapas e faz os doces. Sua sobrinha, que quando criança morara nos Estados Unidos, estava com vontade de comer waffles, e Beth e o cunhado foram para a cozinha preparar a massa. Nesse momento, o marido dela, Olivier, ligou. "Comentei com ele que estava preparando waffles e ele lembrou de um amigo de infância que tinha uma fábrica do quitute. E resolveu retomar o contato com ele", conta.

A empresa era a Manneken Pis, que produz e distribui a massa na Espanha há mais de 30 anos. Beth e Olivier compraram a receita e o maquinário e trouxeram para o Brasil para começar um negócio. Pesquisaram tendências e gostaram da ideia do triciclo, mas como a lei de comida de rua ainda não existia, o veículo customizado ficou dois anos na garagem, esperando para poder rodar. Enquanto isso, os dois inauguraram alguns quiosques para começar a vender o produto.

Tipicamente, em Liège, onde é mais famoso, o waffle é vendido apenas com o açúcar queimado. Para o paladar brasileiro, o casal desenvolveu algumas receitas e vende o doce com ainda mais doce por cima. Entre os ingredientes mais pedidos está a Nutella. O doce de leite também faz muito sucesso, e entre as opções há até geleias caseiras de morangos inteiros, de maçã com canela e de outras frutas da estação – até com carambola Beth e Olivier já experimentaram fazer.

O casal desenvolveu também alguns sabores salgados e faz a massa recheada com hambúrguer, além de uma versão vegetariana. Como acompanhamento, chutney de cebola roxa e maionese caseira. Confesso de cara que achei meio estranho, mas depois que provei, entendi o motivo das filas frequentes. Aindo prefiro o waffle doce tradicional, sem coberturas, mas cada gosto é um gosto, e no Waff tem lugar para todo mundo. •

O quê
Waffle

Onde e quando
Itinerante; ver facebook.com/waffsp

O menor motorizado do livro: três rodas em uma espécie de motoca que puxa as chapas de ferro. Todo aberto, libera aquele aroma gostoso de açúcar queimado pra quem estiver passando por perto...

Festas típicas

A comida de rua também está presente em grandes datas comemorativas que já têm lugar marcado no calendário paulistano, praticamente uma por mês. São boas opções para entrar em contato com diferentes culturas e provar pratos tradicionais de várias nacionalidades. Aqui vai, então, uma lista para você curtir a cidade e, de quebra, comer bem demais!

Ano Novo Chinês

Como o calendário chinês é diferente do brasileiro, cada ano a celebração acontece em uma data diferente, entre o final de janeiro e o início de fevereiro. A maior comemoração é a da Liberdade, com a participação de mais de 100 mil pessoas. Há lutas marciais, desfile de trajes típicos, música e a tradicional dança do dragão. Para comer, pratos típicos como guioza, harumaki, yakisoba e tempurá não podem faltar.

Carnaval

Uma das festas mais brasileiras, é comemorada de um jeito diferente em cada canto do país. Em São Paulo são comuns os blocos de rua, que integram o calendário oficial de eventos da cidade. Eles desfilam durante todo o mês do carnaval, antes e depois da data oficial. Para quem curte a folia no asfalto, muita cerveja, alguns drinques e comidas simples como pipoca, espetinhos e cachorro-quente.

Nikkey Matsuri

Realizada sempre no mês de abril, conta com participação de várias associações e organizações em diversos bairros da cidade. Além de oficinas de origami e apresentações de música, dança e luta, tem muita comida típica. Sushi, guioza, yakisoba, temaki e tempurá estão entre as especialidades.

São Vito

A Festa de Rua São Vito Mártir é uma celebração tradicional e bem conhecida entre os moradores do centro de São Paulo. No mês de maio, as ruas do bairro do Brás ficam cobertas por um toldo, e barracas ocupam os dois lados das principais vias. É possível provar quitutes como polpetone, polenta mole e a ficazzella, uma variação centenária da tradicional fogazza, além de doces italianos e muito vinho quente.

Colônia Fest

A festa celebra a cultura trazida por alemães para o bairro de Colônia Paulista, na zona sul de São Paulo, e é realizada no mês de junho em parceria com a subprefeitura de Parelheiros e a SPTuris. Muita música, cerveja e salsichão animam os visitantes. O cardápio foi abrasileirado, então agora também fazem sucesso os crepes, os lanches no pão francês e o churrasquinho no espeto.

Festas juninas

As festas de São João acontecem durante todo o mês de junho (e às vezes em julho também) para celebrar o dia dele (24) e de outros dois santos católicos: Santo Antônio (13) e São Pedro (29). Em São Paulo, as festas da Igreja do Calvário, da Consolação, do Juventus e da Portuguesa estão entre as mais conhecidas e são uma ótima oportunidade para comer pipoca, milho verde, pé de moleque, maçã do amor e outros quitutes.

Tanabata Matsuri

As ruas do bairro japonês da Liberdade ficam cheias de gente que presta homenagem ao amor entre Orihime e Kengyu, personagens de uma lenda tradicional que só podem se encontrar uma vez ao ano, em julho. Nessa ocasião, os pedidos e desejos anotados nas papeletas coloridas chamadas tanzaku são amarrados na ponta de bambus ou nos galhos das árvores para que sejam realizados. Durante o evento é possível provar algumas receitas tradicionais, como o bolinho de polvo e o doce de feijão.

Achiropita

A Festa de Nossa Senhora Achiropita é uma homenagem da comunidade italiana à padroeira do bairro do Bixiga. O evento é realizado por mais de 900 voluntários e atrai cerca de 250 mil pessoas por ano, durante todo o mês de agosto. Cerca de 30 barracas são instaladas na região da igreja, onde as mammas italianas produzem pratos típicos como espaguete, fogazzas e pizzas.

San Gennaro

Acontece há quase 40 anos na Mooca, zona leste da capital. Cerca de 25 barracas de comida típica italiana são organizadas para realizar a festividade durante o mês de setembro, sempre aos fins de semana. A renda é destinada às obras assistenciais da Igreja de San Gennaro, que fica no bairro. Entre os quitutes servidos é possível provar tradicionais pratos napolitanos: pizza, polenta, fogazza e doces, além de muito vinho!

BrooklinFest

O evento é organizado pela Associação dos Empreendedores e Moradores do Brooklin e acontece sempre em outubro, próximo à data da Oktoberfest alemã. As atrações se espalham pelas ruas do bairro, celebrando a cultura germânica. Além de apresentações de teatro, circo, artesanato, música e dança, o visitante pode curtir outras atividades ao ar livre enquanto toma sua cerveja e come um salsichão no palito.

Feiras tradicionais

Muito antes dos eventos gastronômicos descolados e dos food parks arrumadinhos que pululam pela cidade, a comida de rua já era servida em diversas feiras de cultura e artesanato espalhadas por São Paulo. Reuni aqui algumas para que você também possa se aventurar em barracas nunca antes degustadas, conhecer um pouco mais da cultura de rua da cidade e fazer um programinha bacana no fim de semana.

Ceagesp
pastel, comida japonesa e sanduíche de pernil
Avenida Dr. Gastão Vidigal 1.946, Vila Leopoldina
Quartas, das 14h às 22h (entrada pelo portão 7); sábados, das 7h às 12h30, e domingos, das 7h às 13h30 (entrada pelo portão 3)

Feira da República
acarajé, cocada, tempurá
Praça da República s/nº, República
Sábados e domingos, das 9h às 18h

Feira da Praça Benedito Calixto
comida paraense, pastel, doces
Praça Benedito Calixto s/nº, Pinheiros
Sábados, das 8h às 19h

Feira Kantuta de Cultura Boliviana
salteñas, salchipapas, pratos bolivianos
Rua Pedro Vicente s/nº, Canindé
Domingos, das 11h às 19h

Feira da Liberdade
bolinho de polvo, yakisoba, espetinhos, guioza
Praça da Liberdade s/nº, Liberdade
Domingos, das 8h às 18h

Feira de Artes do Trianon
comida mexicana, bolinho de bacalhau
Avenida Paulista, em frente ao Parque Trianon
Domingos, das 10h às 17h

Feira do Largo de Moema
comida árabe, doces, pastel
Praça Nossa Senhora Aparecida s/nº, Indianópolis
Quartas, sextas e domingos, das 9h às 17h

Feirarte do Ipiranga
tapioca, tempurá, pastel
Rua dos Patriotas s/nº, Ipiranga
Domingos, das 10h às 17h30

Eventos gastronômicos

Em 2012 um evento batizado de O Mercado mobilizou 3 mil pessoas através das redes sociais para provar comidinhas de diversos chefs de cozinha durante uma madrugada de abril. Menos de um mês depois, o Chefs na Rua, evento em formato parecido, participou da Virada Cultural da Prefeitura de São Paulo e pela primeira vez a comida foi reconhecida no evento como parte do calendário cultural.

Pouco a pouco essas iniciativas passaram a acontecer com mais frequência e a integrar a rotina do paulistano. Além desses eventos, estão sempre sendo inaugurados novos espaços gastronômicos, voltados ao público que busca boa comida, quer fugir dos altos preços praticados em restaurantes da cidade ou quer apenas uma alternativa às praças de alimentação.

Os dois eventos pioneiros são realizados até hoje, em locais diferentes e sem data definida. Para saber quando vão acontecer e em que parte da cidade, acompanhe a página dos eventos nas redes sociais:

O Mercado
facebook.com/
o.mercado.feira.gastronomica

Chefs na Rua
facebook.com/
chefs.na.rua

• • •

Para conferir o horário de funcionamento e o cardápio dos food parks e demais eventos gastronômicos que acontecem pelas cinco regiões da cidade, o melhor jeito é acompanhar a página de cada um nas redes sociais.

Benê Food des Arts
Rua Teodoro Sampaio 1.027, Pinheiros
facebook.com/benefooddesarts

Butantan Food Park
Rua Agostinho Cantu 47, Butantã
facebook.com/ButantanFoodPark

Cenarium Gastronômico
Rua Voluntários da Pátria 498, Santana
facebook.com/cenariumgastronomico

Chefs no Bairro
Avenida Itaquera 1.280, Cidade Líder
facebook.com/chefsnobairro

Espaço Berrini Gastronomia
Rua Engenheiro Mesquita Sampaio 518, Vila São Francisco
facebook.com/berrinifoodpark

Evento Gastronômico do Bem
Praça Charles Miller s/nº, Pacaembu
facebook.com/eventodobem

Feira Vila Olímpia Gastronomia
Rua Quatá 684, Vila Olímpia
facebook.com/feiravilaolimpia

Feirinha Gastronômica Jardim das Perdizes
Avenida Marquês de São Vicente 2.301, Água Branca
facebook.com/feirinhagastronomica-jardimdasperdizes

Festival de Comidinhas
Rua Estados Unidos 1.626, Jardins
facebook.com/festivaldecomidinhas

Food Park Faria Lima
Rua Matias Valadão s/nº
facebook.com/Food-Park-Faria-Lima

Moema Food Trucks
Rua Gaivota 1.401, Moema
facebook.com/moemafoodtrucks

Panela na Rua
Praça Benedito Calixto 85, Pinheiros
facebook.com/panelanarua

Pátio Gastronômico
R. Relíquia 383, Jardim das Laranjeiras
facebook.com/Pátio-Gastronômico

Wheelz Gastronomia Urbana
Rua Chilon 381, Vila Olímpia
facebook.com/Wheelz-Gastronomia-Urbana

índice alfabético de barracas e food trucks